l'appel du sang
la seconde vie de bree tanner

hésitation novella

L'édition originale de ce roman a paru sous le titre :
The Short Second Life of Bree Tanner: An Eclipse Novella

© Stephenie Meyer, 2010.
This edition published by arrangement with Little, Brown and Company,
New York, New York, USA. All rights reserved.

© Hachette Livre, 2010, pour la traduction française.

STEPHENIE MEYER

l'appel du sang
la seconde vie
de bree tanner
hésitation novella

Traduit de l'anglais (États-Unis)
par Luc Rigoureau

hachette

À Asya Munich et Meghan Hibbett

Introduction

Il n'y a pas deux écrivains qui envisagent les choses de la même façon. Notre inspiration et nos motivations sont uniques ; des raisons propres à chacun expliquent pourquoi certains de nos personnages continuent de nous accompagner, tandis que d'autres disparaissent dans la corbeille des dossiers en souffrance. Pour ce qui me concerne, si je n'ai jamais compris qu'il y en ait qui se mettent à vivre une existence indépendante, je suis toujours heureuse que le phénomène se produise. Ce sont eux qui me posent le moins de difficultés à l'heure d'écrire. Par conséquent, leurs destins sont en général ceux qui ont une fin.

Bree est l'un de ces personnages. Elle est aussi la raison principale pour laquelle ce récit est entre vos mains et non perdu au milieu du labyrinthe des fichiers oubliés de mon ordinateur. (Les deux autres raisons sont Diego et Fred.) J'ai songé à Bree alors que je corrigeais *Hésitation*. Corrigeais, pas rédigeais.

Lors de l'écriture d'*Hésitation*, je portais les œillères de la narration à la première personne ; ce que Bella ne pouvait voir, entendre, sentir, goûter ou toucher n'avait pas lieu d'être. Cette histoire-là se cantonnait à ses expériences.

L'étape suivante dans le processus de relecture a été de m'éloigner de Bella et de vérifier la façon dont coulait le récit. Mon éditrice, Rebecca Davis, a joué un rôle important à ce niveau et m'a posé beaucoup de questions sur ce que Bella n'était pas en mesure de savoir et sur la manière dont nous pouvions éclaircir ces pans de l'intrigue. Comme Bree est la seule nouveau-née que Bella voit, c'est vers son point de vue à elle que je me suis tournée lorsqu'il s'est agi de réfléchir à ce qui se tramait derrière les différentes scènes du roman. J'ai alors commencé à réfléchir à quoi pouvait ressembler l'existence dans un sous-sol avec d'autres nouveau-nés, à ce qu'était la chasse telle que l'envisagent les vampires traditionnels. J'ai imaginé le monde comme Bree le comprenait. Cela m'a été facile. Dès le départ, Bree avait été un personnage très marqué, et certains de ses amis ont pris forme tout aussi aisément. Je fonctionne ainsi, d'habitude : je m'efforce de rédiger un bref synopsis des événements qui se déroulent dans telle ou telle partie de l'histoire et je finis avec les dialogues. En l'occurrence, je me suis surprise à écrire une journée dans la vie de Bree plutôt qu'un synopsis.

En me concentrant sur Bree, j'ai pour la première fois enfilé les chaussures d'une narratrice qui était un « vrai » vampire, un traqueur, un monstre. C'est à travers ses prunelles rouges que je nous ai observés, nous les humains ; soudain, je nous ai vus minables et faibles, proies faciles sans autre intérêt que de représenter de délicieux repas. J'ai ressenti ce qu'était la solitude au milieu d'ennemis, le fait d'être toujours sur ses gardes et de ne jamais être certaine de rien, sinon que ma vie était constamment menacée. Je me suis immergée dans une espèce vampirique entièrement inédite : les nouveau-nés. Je n'avais encore jamais exploré leur vie, y compris au moment où Bella était transformée. Elle et Bree sont deux sortes de nouveau-nées entièrement différentes. L'expérience a été exaltante, sombre et finalement tragique. Plus je me rapprochais de l'inéluctable fin, plus je regrettais de ne pas avoir donné une conclusion légèrement différente à *Hésitation*.

Je me demande comment vous réagirez en face de Bree. Elle est un personnage si fugitif, apparemment si insignifiant d'*Hésitation*. Elle ne vit que cinq minutes sous le regard de Bella. Pourtant, son histoire est nécessaire à la compréhension du roman. Lorsque vous avez lu la scène dans laquelle Bella fixe Bree en s'interrogeant sur son propre avenir, avez-vous seulement pensé, sur le moment, à ce qui avait amené Bree dans cette situation ? Et tandis qu'elle-même toise Bella, vous êtes-vous demandé comment elle la jugeait, ainsi que les Cullen ? Sans doute pas. Et quand bien même l'aurez-vous fait, je suis prête à parier que vous n'avez pas deviné ses secrets.

J'espère que vous apprécierez Bree autant que moi, même si ce souhait est un peu cruel. Vous savez déjà que cela ne se termine pas bien pour elle. Au moins, vous connaîtrez aussi son histoire, désormais. Et vous comprendrez qu'aucun point de vue n'est jamais tout à fait insignifiant.

Bonne lecture,

Stephenie.

Remerciements

Comme toujours, je suis extrêmement reconnaissante envers tous ceux qui ont rendu cet ouvrage possible : mes fils, Gabe, Seth et Eli ; mon mari Pancho ; mes parents Stephen et Candy ; les amies qui me soutiennent toujours Jen H., Jen L., Meghan, Nic et Shelly. Mon agent Ninja Jodi Reamer ; mon « club de golf » Shannon Hale ; tous mes amis et mentors de Little Brown, notamment David Young, Asya Muchnick, Megan Tingley, Elizabeth Eulberg, Gail Doobinin, Andrew Smith et Tina MacIntyre. Et, je garde le meilleur pour la fin, merci à vous, chers lecteurs. Vous êtes le meilleur public qui soit !

Le gros titre du journal me toisait depuis le modeste distributeur métallique : *SEATTLE EN ÉTAT DE SIÈGE – LE TAUX DE MORTALITÉ DE NOUVEAU EN HAUSSE.* Celui-là, c'était la première fois que je le voyais. Un vendeur quelconque avait dû recharger la machine – heureusement pour lui, il avait disparu à présent. Génial ! Riley allait péter un plomb. Pas question que je sois dans les parages quand il découvrirait cette une. Qu'il arrache le bras de quelqu'un d'autre plutôt que le mien.

Debout dans l'ombre dispensée par le coin d'un immeuble de deux étages délabré, je m'efforçais de passer inaperçue tout en attendant qu'une décision soit prise. Je fixais le mur à côté de moi, histoire d'éviter de croiser des regards. Le rez-de-chaussée du bâtiment avait abrité la boutique d'un disquaire fermé depuis belle lurette. Les vitrines, brisées par les éléments ou la violence urbaine, avaient été remplacées par du contreplaqué. Au-dessus, des appartements. Vides, ai-je deviné, dans la mesure où je ne percevais aucun des bruits normaux qu'émettent les humains lorsqu'ils dorment. Ça ne m'a pas étonnée : les lieux avaient l'air d'être sur le point de s'écrouler à la première bourrasque de vent. Les édifices sis de l'autre côté de la rue sombre et étroite étaient tout aussi minables.

Bref, la scène habituelle d'une virée nocturne en ville.

J'avais beau ne vouloir ni parler ni attirer l'attention, j'aurais bien aimé que quelqu'un arrête un choix. J'avais très soif et je me fichais que nous partions à droite, à gauche ou sur le toit. Je désirais juste me dégoter quelque malchanceux à qui je ne laisserais même pas le temps de se dire qu'il s'était trouvé au mauvais endroit au mauvais moment.

Malheureusement, ce soir, Riley m'avait flanquée des deux vampires les plus nuls qui soient. Riley paraissait ne jamais se soucier de ceux qu'il envoyait chasser ensemble ; ni s'inquiéter spécialement que ces groupes mal assortis impliquent des pertes plus nombreuses parmi nos rangs. Cette nuit-là, j'étais contrainte de me coltiner Kevin et un blond dont j'ignorais le nom. Tous les deux appartenant à la bande de Raoul, il allait de soi qu'ils étaient idiots. Et dangereux. Même si, pour l'instant, ils étaient surtout idiots.

Au lieu de décider d'une piste à suivre, ils se chamaillaient pour savoir lequel de leurs superhéros préférés aurait fait un meilleur traqueur. Le blond

16

anonyme était en train de plaider la cause de Spiderman. Pour cela, il s'était senti obligé d'escalader le mur de brique de la ruelle latérale tout en fredonnant la bande-son du film. J'ai poussé un soupir agacé. Allait-on enfin s'y mettre, oui ou non ?

Un bref mouvement sur ma gauche m'a attiré l'œil. C'était le quatrième membre de notre expédition, Diego. Je ne savais pas grand-chose de lui, sinon qu'il était plus âgé que la plupart d'entre nous. Un peu le bras droit de Riley, en réalité. Ce qui ne me le rendait pas plus sympathique que les autres crétins.

Il me fixait. Il avait dû entendre mon soupir. J'ai détourné la tête. Garder profil bas et la boucler : tel était le mot d'ordre si l'on voulait survivre dans l'univers de Riley.

— Spiderman est un loser pleurnichard ! a lancé Kevin au blond. Je vais te montrer, moi, comment chassent les vrais superhéros.

Un large sourire a dévoilé ses dents, qui ont lui dans la lumière crue d'un réverbère. Kevin a bondi au milieu de la chaussée, juste au moment où les phares d'une voiture qui venait de tourner dans la rue illuminaient d'un éclat bleuté le trottoir fissuré. Tel un catcheur qui frime, il a plié ses bras dans son dos avant de les réunir lentement, muscles saillants. La bagnole approchait, s'attendant sans doute à ce qu'il décampe devant elle, comme n'importe quelle personne normale l'aurait fait. Comme il aurait *dû* le faire.

— Hulk pas content ! a-t-il braillé. Hulk…
FRAPPE !

Se jetant sur la voiture avant qu'elle ait pu freiner, il l'a attrapée par le pare-chocs avant et l'a balancée derrière lui. Elle s'est écrasée sur le toit dans un concert de métal tordu et de verre cassé. À l'intérieur de l'habitacle, une femme s'est mise à hurler.

— Zut ! a soufflé Diego en secouant la tête.

Il était mignon, avec ses épaisses boucles noires, ses grands yeux et ses lèvres pleines. En même temps, qui ne l'était pas, mignon ? Même Kevin et les stupides acolytes de Raoul l'étaient !

— Kevin ! a-t-il crié. Nous sommes censés rester discrets. Riley a dit que…

— Riley ceci, Riley cela, et patati et patata, s'est moqué l'autre en prenant une voix de fausset. Un peu de cran, Diego ! Riley n'est pas là.

Sautant sur le véhicule renversé, il a défoncé d'un coup de poing la vitre du conducteur qui, étonnamment, était intacte. Puis il a plongé la main entre les échardes tranchantes et l'airbag qui se dégonflait afin d'en extirper l'occupante. Trop assoiffée pour regarder Kevin se nourrir, je me suis détournée, j'ai retenu mon souffle et je me suis accrochée à mes capacités de réflexion. Surtout, je ne tenais pas à me battre avec lui. Figurer sur la liste des ennemis de Raoul était la dernière chose au monde dont j'avais besoin.

Le blond, lui, n'avait pas ce genre de souci.

Dégringolant de son mur, il a atterri avec légèreté à côté de moi. Des grognements ont retenti, les siens, ceux de Kevin, puis il y a eu un bruit mouillé de corps déchiqueté, et les hurlements de la victime se sont tus. Ils l'avaient sans doute déchirée en deux. Je me suis efforcée d'effacer cette image. Malheureusement, le sang qui gouttait derrière moi, la chaleur qui en émanait m'enflammaient la gorge, bien que j'aie cessé de respirer.

— Moi, je me tire, a marmonné Diego.

Sur ce, il s'est engouffré dans l'étroit passage séparant deux immeubles. Je lui ai emboîté le pas. Si je ne filais pas d'ici rapidement, j'allais me quereller avec les débiles de Raoul pour un cadavre qui, de toute façon, devait être plus ou moins exsangue à présent. Et, avec un peu de malchance, ce serait moi qui ne reviendrais pas de l'expédition de ce soir.

Pourtant, qu'est-ce que j'avais mal à la gorge, nom d'un chien ! J'ai serré les dents pour contenir mes cris de douleur.

Diego fonçait dans une ruelle pleine de détritus. Au bout du cul-de-sac, il a escaladé le mur. Plantant mes doigts dans les fissures, je me suis hissée à mon tour par-dessus l'obstacle. Une fois là-haut, Diego a décampé, passant de toit en toit avec agilité, s'éloignant de la curée, vers des lumières chatoyantes. Je lui collais aux basques. Plus jeune que lui, j'étais aussi plus forte. Ce qui était un atout, sans lequel nous autres les nouveaux n'aurions pas survécu une semaine chez Riley. J'aurais pu le distancer sans problème, mais j'étais curieuse de voir où il allait. Plus que tout, je ne souhaitais pas l'avoir dans mon dos.

Il a continué à courir pendant des kilomètres, nous avions presque atteint le quartier des docks industriels. Je l'entendais marmotter dans sa barbe.

— Les idiots ! Riley a de bonnes raisons de nous donner tel ou tel ordre. Nous préserver, par exemple. Est-ce trop leur demander de garder un brin de jugeote ?

— Hé ! l'ai-je hélé. On va bientôt chasser, ou quoi ? J'ai la gorge en feu, moi !

Atterrissant au sommet d'une vaste usine, il a virevolté dans ma direction. J'ai reculé de plusieurs mètres, à l'affût. Toutefois, il n'a pas fait mine de m'agresser.

— Oui, a-t-il répondu. Je voulais juste mettre un peu de distance entre moi et ces dingues.

Il m'a souri, genre ami-ami, et je l'ai toisé avec prudence. Ce type se distinguait des autres. Il était... j'imagine que le mot serait « calme ». Normal. Pas au sens de maintenant, au sens d'avant. Ses yeux étaient d'un rouge plus sombre que les miens. Cela confirmait la rumeur qu'il devait exister depuis plus longtemps que moi.

De la rue montaient les sons nocturnes typiques

20

d'un des coins les plus sordides de Seattle. Quelques voitures, de la musique dont les basses vrombissaient, de rares noctambules qui pressaient le pas, nerveux, un ivrogne qui chantait faux au loin.

— Tu es Bree, n'est-ce pas ? m'a lancé Diego. Une jeunette.

Ça ne m'a pas plu. Jeunette. Passons.

— Oui, je m'appelle Bree. Mais je ne suis pas du dernier groupe. J'ai presque trois mois.

— Tu es plutôt douée pour ton âge. Je n'en connais pas beaucoup qui auraient réussi à quitter les lieux de l'accident comme ça.

Sa phrase a résonné comme un compliment. À croire qu'il était réellement impressionné.

— Je ne tenais pas à me colleter aux tarés de Raoul.

— Amen, sœurette, a-t-il acquiescé. Ces types-là, ils ne créent que des embrouilles.

Bizarre. Diego était bizarre. Il s'exprimait comme quelqu'un menant une bonne vieille conversation. Sans hostilité, sans suspicion. Comme s'il n'évaluait pas les difficultés auxquelles il se heurterait s'il se décidait à me tuer là, sur-le-champ. Il se contentait de discuter avec moi.

— Depuis combien de temps es-tu avec Riley ? me suis-je enquise avec une curiosité sincère.

— Bientôt onze mois.

— Wouah ! C'est plus que Raoul.

Levant les yeux au ciel, il a craché un jet de venin par-dessus le rebord du toit.

— Ouais, je me souviens du jour où Riley a ramené cette ordure. À partir de là, la situation n'a fait qu'empirer.

J'ai observé un bref silence, me demandant si Diego considérait comme des ordures tous ceux qui étaient plus jeunes que lui. Non que cela m'importe. J'avais cessé de m'inquiéter de l'opinion des autres. Ce n'était plus la peine. Comme me l'avait affirmé Riley, j'étais une déesse, désormais. Plus forte, plus rapide, meilleure. Personne ne comptait, sinon moi.

Soudain, Diego a émis un petit sifflement.

— Et voilà, a-t-il murmuré en désignant du doigt le côté opposé de la rue. Il suffisait d'un peu de sang-froid et de patience.

J'ai regardé dans la direction indiquée. À moitié dissimulé dans l'ombre mauve d'une venelle, un homme était en train d'insulter une femme tout en la giflant. Une seconde femme assistait à la scène sans un mot. À leurs vêtements, j'ai deviné qu'il s'agissait d'un maquereau et de deux de ses employées. Riley nous avait conseillé ce genre de proies. La lie de l'humanité. Les racailles qui ne manqueraient à personne, qui n'avaient ni foyer ni famille, dont on ne signalerait pas la disparition. Lui-même nous avait choisis de la même façon. Repas et dieux issus du ruisseau.

Contrairement à certains, je continuais d'obéir aux recommandations de Riley. Pas parce que je l'appréciais. C'était là un sentiment que je n'éprouvais plus depuis longtemps. Mais parce que ses avis me paraissaient fondés. À quoi bon attirer l'attention sur le fait qu'une bande de vampires avaient élu Seattle pour terrain de chasse ? En quoi cela était-il censé nous faciliter la tâche ?

Je n'avais même pas cru à l'existence des vampires avant d'en devenir un. Même en supposant que le reste du monde soit aussi ignorant que moi, ils étaient quand même bien rusés quand il s'agissait de se nourrir. Non sans raison sans doute. Telle était l'opinion de Riley. Et comme l'avait précisé Diego, la chasse ne supposait qu'un peu de sang-froid et de patience.

Naturellement, nous commettions tous pas mal de gaffes. Riley lisait les journaux, râlait, nous enguirlandait, cassait des objets – la console de jeux préférée de Raoul, par exemple. Du coup, ce dernier se fâchait, chopait l'un de nous et le réduisait en cendres. Résultat, Riley, carrément furax, organisait une fouille et confisquait les briquets et les allumettes de tout le monde. Après plusieurs scènes de cet acabit, il ramenait à la maison un nouveau groupe de racailles vampirisées pour remplacer les troupes qu'il avait perdues. C'était un cycle sans fin.

Diego a respiré par le nez, une grande et longue

inspiration, et son corps s'est brusquement transformé. Il s'est tapi sur le toit, une main agrippée au rebord, sa drôle de gentillesse s'est volatilisée, et il s'est transformé en traqueur. C'était là une modification familière, qui ne me gênait pas parce que je la comprenais.

J'ai déconnecté mon cerveau. L'heure était venue de chasser. Inhalant profondément, j'ai reniflé l'odeur du sang des humains dans la rue. S'ils n'étaient pas les seuls alentour, ils étaient les plus proches. Le gibier qu'on se choisissait relevait d'une décision que l'on devait prendre *avant* d'en humer le parfum. Après, il était trop tard pour changer d'avis.

Diego s'est laissé tomber à terre, disparaissant de ma vue. Le bruit de sa chute était trop feutré pour attirer l'attention de la prostituée qui criait, de sa copine dans les vapes ou du souteneur. Un râle sourd s'est échappé de mes lèvres. Ce sang était *à moi*. L'incendie de ma gorge a redoublé d'intensité, et je n'ai plus songé qu'à m'abreuver.

Me jetant du toit à mon tour, j'ai virevolté jusqu'au sol, où je me suis posée juste à côté de la blonde qui braillait. Sentant la présence de Diego derrière moi, j'ai grondé en guise d'avertissement tout en attrapant par les cheveux la fille ahurie. Je l'ai plaquée contre le mur de la ruelle puis je me suis collée à elle, face à la rue. Sur la défensive, au cas où. Cependant, j'ai vite oublié Diego, enivrée par la chaleur de la peau de ma victime et par les pulsations qui agitaient ses veines.

Se remettant de sa surprise, elle a ouvert la bouche pour hurler ; mes dents ont écrasé sa trachée avant qu'elle en ait eu le temps. Seuls ont glouglouté l'air et l'hémoglobine qui se sont échappés de ses poumons, seul a résonné le faible gémissement qui m'a échappé. Le sang tiède et sucré a apaisé ma soif dévorante et calmé le creux insistant, pénible comme une démangeaison, de mon estomac. J'ai aspiré, avalé, à peine consciente de la réalité qui m'entourait. Des bruits identiques aux miens me sont parvenus. Émis par Diego. Il tenait l'homme. La seconde femme gisait à terre, inanimée. Ni elle ni le maquereau n'avaient poussé un cri. Il était doué, ce Diego.

Le problème, avec les humains, c'est qu'ils paraissaient ne jamais disposer de quantités de sang suffisantes. J'ai eu l'impression qu'il ne s'était écoulé que quelques secondes quand ma proie a été vide. Agacée, j'ai secoué son cadavre. Déjà, ma gorge recommençait à être douloureuse.

Jetant le corps désormais inutile sur la chaussée, je me suis aplatie contre le mur, me demandant si je réussirais à m'emparer de la prostituée inconsciente et à la saigner avant que Diego ne m'attaque. Sauf qu'il en avait terminé avec le type. Il m'a contemplée avec une expression que je ne saurais qualifier que de… compassionnelle. Mais il était possible que je me leurre. Ne me souvenant pas que quiconque ait fait preuve de mansuétude à mon égard auparavant, je n'étais pas très sûre de ce à quoi ça ressemblait.

— Vas-y, m'a-t-il dit en désignant du menton la nana affalée par terre.

— Tu te fiches de moi ?

— Non. Pour l'instant, je peux tenir le coup. Et la nuit n'est pas finie.

Le surveillant du coin de l'œil, des fois que ce soit une entourloupe, je me suis vivement saisie de la fille. Diego n'a pas eu un mouvement pour m'arrêter. Se détournant un peu, il a fixé le ciel noir. Sans cesser de le regarder, j'ai plongé mes crocs dans le cou qui m'était offert. Cette proie était encore meilleure que la précédente. Son sang était pur. La blonde avait eu la saveur amère qu'engendre la drogue. Je l'avais à peine remarqué sur le moment, tant j'y étais habituée à force de me conformer à la règle de ne m'attaquer qu'à la racaille. Comme Diego semblait être aussi obéissant que moi, il a sans doute humé ce dont il se privait.

Pourquoi avait-il agi ainsi ?

Une fois le second corps asséché, je me suis sentie mieux. J'étais gavée de sang, et ma gorge me laisserait sûrement tranquille durant plusieurs jours.

Diego patientait en sifflotant. Lorsque le cadavre est tombé par terre avec un bruit sourd, il a pivoté vers moi et m'a adressé un sourire.

— Hum… merci, ai-je marmonné.

— J'ai eu l'impression que tu en avais plus besoin que moi, s'est-il justifié en hochant la tête. Je me rappelle à quel point c'était difficile, au début.

— Est-ce que ça s'arrange par la suite ?

— Plus ou moins, oui, a-t-il répondu avec un geste désabusé.

L'espace d'une seconde, nos regards se sont croisés.

— Bon, si on flanquait ces trois-là dans le détroit ? a-t-il ensuite suggéré.

Me penchant, j'ai ramassé la blonde et j'ai balancé son cadavre mou par-dessus mon épaule. Je m'apprêtais à attraper l'autre, mais Diego m'a devancée, bien que le maquereau pende déjà dans son dos.

— Je l'ai, a-t-il dit.

Derrière lui, j'ai escaladé le mur de la venelle puis les poutrelles de l'autoroute. Les phares des voitures passant en bas ne nous atteignaient pas. J'ai songé combien les gens étaient bêtes, inconscients, et j'ai été soulagée de ne pas compter au nombre de ces ignorants.

Profitant de la pénombre, nous sommes allés jusqu'à un dock désert et fermé la nuit. Une fois au bout du quai en béton, Diego a sauté à l'eau sans hésiter avec son chargement. J'ai plongé moi aussi. Nageant avec l'agilité et la rapidité d'un requin, il s'est éloigné dans l'obscurité marine avant de s'arrêter brusquement et de tourner autour de ce qu'il cherchait : un énorme rocher couvert de vase, aux pans duquel s'accrochaient étoiles de mer et détritus divers. D'après moi, nous étions à plus de trente mètres de profondeur – un humain n'aurait distingué qu'un noir d'encre. Diego s'est débarrassé de son fardeau. Les corps ont flotté lentement, agités par les courants, tandis qu'il fourrait sa main à la base du rocher. Au bout d'une seconde, il a déniché une encoche et a soulevé la pierre. Sous le poids de celle-ci, il s'est enfoncé jusqu'à la taille dans le sable.

Me regardant, il m'a adressé un signe de tête.

Je l'ai rejoint, attrapant au passage ses cadavres d'une main. J'ai enfoui la blonde dans le trou avant d'y précipiter sa camarade et leur maquereau. D'un coup de pied, je me suis assurée qu'ils étaient bien en place, puis je me suis écartée. Diego a laissé retomber le rocher, qui a vacillé en s'ajustant à ses nouvelles fondations inégales. S'extrayant de la vase, Diego a alors grimpé au sommet de la pierre et, à force de pression, a écrasé ce qui se trouvait à présent dessous. Ensuite, il a reculé de quelques brasses afin d'admirer son travail.

« Parfait ! » ai-je approuvé de mes seules lèvres. Les trois corps ne referaient jamais surface. Riley ne lirait rien les concernant dans les journaux. Avec un immense sourire, Diego a levé la main. Il m'a fallu une minute pour saisir qu'il attendait que je tape dans sa paume en signe de victoire. Hésitante, je me suis approchée, me suis exécutée puis me suis rapidement éloignée de lui. Une expression étrange a traversé ses traits, puis il a filé en haut à la vitesse de l'éclair. Un peu décontenancée, je l'ai suivi. Lorsque j'ai émergé, il s'étranglait presque de rire.

— Quoi ?

Pendant un moment, il a été incapable de s'expliquer.

— Personne ne m'en a jamais tapé cinq avec autant de maladresse, a-t-il fini par crachoter.

J'ai reniflé avec irritation.

— Rien ne garantissait que tu ne m'arracherais pas le bras ou je ne sais quoi.

— Ce n'est pas mon style, s'est-il défendu.

— Mais celui des autres, ai-je riposté.

— C'est vrai, a-t-il admis, soudain sérieux. Bon, prête à continuer ?

— La question ne se pose même pas.

Nous sommes sortis de l'eau à l'abri d'un pont et avons eu la chance de tomber sur deux clochards qui dormaient dans des sacs de couchage usés et crasseux, sur un matelas commun de journaux. Aucun ne s'est réveillé. L'alcool avait rendu leur sang acide, mais c'était mieux que rien. Eux aussi, nous les avons enfouis dans le détroit, sous un second rocher.

— Et voilà, je suis tranquille pour plusieurs

semaines, a commenté Diego quand, dégoulinants, nous nous sommes de nouveau hissés hors de l'eau, au bout d'un autre quai.

— J'imagine que chasser est ce qu'il y a de plus facile, ai-je soupiré. Dans deux-trois jours, je serai une nouvelle fois en feu. Alors, Riley me renverra en expédition avec des crétins de la bande de Raoul.

— Je t'accompagnerai, si tu préfères. Riley me laisse faire à peu près ce que je veux.

J'ai réfléchi, soupçonneuse. Mais Diego avait vraiment l'air de ne pas ressembler au reste de la troupe. En sa présence, j'avais d'ailleurs l'impression d'être également différente. Comme s'il ne m'était plus aussi nécessaire de surveiller mes arrières.

— Oui, ça me plairait, ai-je fini par avouer.

Aussitôt, je me suis sentie mal. Trop vulnérable, un truc comme ça. Toutefois, Diego s'est borné à dire que c'était cool avant de me sourire.

— Comment expliques-tu que Riley te donne autant de liberté ? ai-je demandé.

Cette question attisait ma curiosité. Plus je passais de temps avec Diego, moins je l'envisageais entretenir un lien étroit avec Riley. Diego était tellement… amical. Tout l'inverse de Riley. Mais il était possible que leur relation soit fondée sur un phénomène d'attirance des contraires.

— Il sait qu'il peut avoir confiance, que je nettoie derrière moi. À propos, ça ne t'embête pas qu'on aille régler un dernier truc ? Ça ne prendra pas long-temps.

Je commençais à bien m'amuser, avec ce drôle de type. Il m'intriguait, j'avais envie de voir ce qu'il comptait faire.

— Pas de souci, ai-je donc répondu.

Il a bondi en direction de la rue qui longeait le front de mer et, une fois encore, je lui ai emboîté le pas. J'ai détecté l'arôme de plusieurs humains, même si l'obscurité était trop dense, et que nous étions trop rapides pour qu'eux nous repèrent. Derechef, Diego a décidé de se déplacer de toit en toit. Au bout de quelques sauts, j'ai identifié notre trace olfactive. Il rebroussait chemin, et nous n'avons pas tardé à rejoindre la ruelle où Kevin et son pote avaient déliré avec la voiture.

— Incroyable ! a grommelé Diego.

Kevin et Cie venaient de partir, apparemment. Deux nouveaux véhicules étaient entassés sur le pre-mier, et une poignée de passants s'étaient ajoutés au nombre des victimes. Les flics n'étaient pas encore sur place, dans la mesure où les témoins susceptibles de leur annoncer le grabuge étaient morts.

— Aide-moi à réparer les dégâts, d'accord ? m'a lancé Diego.

— O.K.

Nous avons bondi sur la chaussée, et il a réorga-nisé les voitures de manière à ce qu'elles aient l'air de s'être rentrées dedans plutôt que d'avoir été empilées par un bébé géant ayant fait un méga-caprice. De mon côté, j'ai attrapé deux corps exsangues abandonnés par terre et je les ai fourrés sous l'amas de tôles.

— Vilain accident, ai-je commenté.

Diego s'est marré. Sortant un briquet d'une poche à fermeture Éclair de sa veste, il a entrepris de mettre le feu aux vêtements des victimes. M'emparant du mien – Riley nous en fournissait quand nous partions en chasse, et Kevin aurait dû utiliser le sien –, je me suis attaquée aux sièges des voitures. Les cadavres, desséchés et enduits de venin inflammable, se sont rapidement embrasés.

— Éloigne-toi ! m'a ordonné Diego.

J'ai constaté qu'il avait ouvert le réservoir de la première bagnole. J'ai sauté sur le mur le plus proche, me perchant un étage au-dessus de la scène. Reculant de quelques pas, il a gratté une allumette et, d'un geste sûr, l'a jetée dans le trou. Au même instant, il m'a rejointe en haut. Le fracas de l'explosion a secoué toute la rue. Des lumières se sont peu à peu allumées dans le voisinage.

— Bien joué, l'ai-je félicité.

— Merci pour le coup de main. On retourne chez Riley ?

J'ai froncé les sourcils. Plutôt me pendre que passer le restant de la nuit là-bas. Je ne tenais pas à devoir supporter le visage idiot de Raoul, les cris incessants et les sempiternelles querelles. Je n'avais aucune envie non plus de me planquer en serrant les dents derrière Fred le Frappadingue pour avoir la paix. Et puis, je n'avais plus de bouquins.

— On a encore du temps, a repris Diego en déchiffrant mon expression. On n'est pas obligés de rentrer tout de suite.

— Quelques livres me seraient bien utiles, ai-je opiné.

— Et moi, quelques CD, a-t-il rigolé. Sus aux boutiques !

Nous avons filé jusqu'à un quartier plus sympathique, par les toits d'abord, puis à travers des rues ombreuses lorsque les bâtiments ont commencé à être trop distants les uns des autres. Nous avons vite dégoté un centre commercial doté d'une grande enseigne spécialisée dans les produits culturels. J'ai arraché le verrou qui fermait le vasistas du toit, et nous nous sommes glissés à l'intérieur. Le magasin était désert, les alarmes étaient installées sur les seules fenêtres et portes. Pendant que Diego s'intéressait au rayon musique, j'ai foncé droit sur la section H de la librairie. Venant d'en terminer avec Shannon Hale, j'ai fauché la dizaine de bouquins qui suivaient sur l'étagère. Ils m'occuperaient pendant les deux prochains jours.

Cherchant Diego des yeux, je l'ai repéré à l'une des tables du café. Il examinait le dos de ses nouveaux CD. Avant de le rejoindre, je l'ai observé un instant, emplie d'une sensation étrange. En effet, la scène m'était familière, mais dans un genre obsédant, inconfortable. Je m'étais retrouvée ainsi assise à une table, à une époque, face à quelqu'un. J'avais discuté à bâtons rompus avec cette personne, j'avais pensé à des choses qui n'étaient ni la vie ni la mort, ni la soif ni le sang. Cependant, cela s'était produit dans une vie précédente et floue.

La dernière fois que j'avais été attablée en compagnie de quelqu'un, ç'avait été avec Riley. Me souvenir de cette soirée était douloureux. Pour des tas de raisons.

— Comment se fait-il que je ne t'ai jamais remarquée dans la maison ? m'a brusquement interrogée Diego. Où te caches-tu ?

J'ai ri et grimacé en même temps.

— En général, je traîne dans l'ombre de Fred le Frappadingue, ai-je confessé.

Il a tordu le nez.

— Sérieux ? Comment arrives-tu à supporter ça ?

— On s'y habitue. C'est moins pénible quand on est derrière lui. De toute façon, c'est la meilleure planque que j'ai dénichée. Personne n'approche de lui.

— En effet, a acquiescé Diego, l'air toujours aussi dégoûté. Bonne façon de rester en vie.

J'ai haussé les épaules.

— Savais-tu que Fred est l'un des chouchous de Riley ? m'a-t-il demandé.

— Ah bon ? Comment ça ?

Tout le monde détestait Fred le Frappadingue. J'étais la seule à le tolérer, et c'était uniquement dans le souci de me préserver. Diego s'est penché vers moi avec une mine de conspirateur. J'étais déjà si rodée à ses étranges manières que je n'ai même pas tressailli.

— Je l'ai entendu en discuter au téléphone avec Elle.

J'ai été prise d'un frisson.

— Je te comprends, a-t-il acquiescé.

Derechef, il semblait plein de sympathie. En même temps, quand il s'agissait d'Elle, la confraternité était de mise.

— C'était il y a quelques mois, a-t-il poursuivi. Riley parlait de Fred, tout content. D'après ce que j'ai saisi, certains vampires auraient des dons. Ils seraient capables de trucs que les vampires normaux ne sont pas en mesure de faire. Apparemment, c'est ce qu'Elle recherche. Des vampires doués de Pouvoirs.

Il avait tant insisté sur la première syllabe du mot que j'ai deviné que, mentalement, il l'écrivait avec une majuscule.

— Quel genre de pouvoirs ?

— Un tas, visiblement. Déchiffrer les pensées des autres, les traquer, prédire l'avenir même.

— Tu rigoles ?

— Pas du tout. J'imagine que Fred parvient à repousser les gens exprès, quelque chose comme ça. Même si c'est dans nos esprits que ça se passe. Il arrive à nous persuader que sa proximité nous répugne.

— Et en quoi cela est-il positif ? ai-je demandé, le front plissé.

— Eh bien, ça le maintient en vie, non ? Toi aussi, d'ailleurs.

— Oui, pas mal vu. Est-ce que Riley a mentionné d'autres personnes ?

J'ai essayé de me souvenir des choses curieuses que j'avais pu voir ou sentir. En vain. Fred était unique en son genre. Les clowns qui, cette nuit, avaient joué les superhéros dans la ruelle n'avaient rien accompli ce dont nous autres ne fussions capables.

— Il a évoqué Raoul, a admis Diego, une moue réprobatrice sur les lèvres.

— Et quel don a-t-il, celui-là ? La méga-stupidité ?

— Ça, oui ! a ricané mon interlocuteur. N'empêche, Riley pense qu'il dégage une sorte de magnétisme, que les gens sont attirés par lui, qu'ils sont prêts à le suivre.

— Seulement les débiles profonds.

— Riley a souligné ça aussi, en précisant que son

talent semblait sans effets sur les mômes « les plus dociles ».

Il avait imité – assez bien d'ailleurs – la voix de Riley pour prononcer ces trois derniers mots.

— Dociles ?

— J'en ai déduit qu'il voulait désigner ceux qui, comme nous, sont à même de se servir de leur cervelle de temps à autre. Contrairement à ceux qui n'écoutent que leurs instincts les plus sauvages.

Je n'appréciais guère qu'on me traite de docile. Ça n'avait pas l'air d'un compliment, dans la bouche de Riley. L'interprétation de Diego était bien plus positive.

— J'ai eu l'impression que Riley souhaitait que Raoul soit un meneur, a poursuivi ce dernier. Il se trame quelque chose, à mon avis.

Un drôle de spasme a secoué ma colonne vertébrale, et je me suis redressée sur ma chaise.

— Quoi donc ?

— Tu t'es déjà demandé pourquoi Riley exige toujours que nous fassions profil bas ?

J'ai hésité une demi-seconde avant de répondre. Ce n'était pas là une question à laquelle je m'étais attendue de la part du bras droit de Riley. C'était comme s'il remettait en cause les ordres du chef. À moins qu'il n'agisse pour le compte dudit chef, en espion. Histoire de découvrir ce que les « mômes » pensaient de lui. Mais ça ne semblait pas être ça.

Les yeux de Diego étaient grands ouverts, confiants. Et puis, en quel honneur Riley se serait-il soucié de l'opinion de ses troupes ? Si ça se trouve par exemple, ce que racontaient les autres à propos de Diego ne reposait que sur du vent, ce n'était que des ragots. J'ai décidé d'être franche.

— Oui. D'ailleurs, j'étais justement en train d'y réfléchir.

— Nous ne sommes pas les seuls vampires au monde, a déclaré Diego avec gravité.

— Je sais, Riley l'a répété à plusieurs reprises. En même temps, nous ne pouvons pas être aussi nombreux que cela. Sinon, nous aurions été déjà repérés, non ?

— Oui, je suis d'accord. Voilà pourquoi il est plutôt étrange qu'Elle continue d'en créer de nouveaux, tu ne crois pas ?

J'ai froncé les sourcils.

— Ouais. D'autant qu'on ne peut pas dire que Riley nous apprécie ni rien de ce genre.

Je me suis interrompue, attendant de voir s'il allait me contredire. Non. Il s'est borné à patienter avec un léger hochement de tête signifiant qu'il partageait mon avis.

— Et Elle n'a même pas pris la peine de se présenter, ai-je donc enchaîné. Tu n'as pas tort. Je n'y avais pas songé sous cet angle. En fait, je n'y avais pas songé du tout. Mais bon, qu'attendent-ils de nous exactement ?

Diego a haussé un sourcil.

— Tu veux entendre ma théorie ?

J'ai acquiescé avec prudence. Cependant, ce n'était plus lui la source de mon anxiété.

— Je te le répète, il se trame quelque chose. Pour moi, Elle cherche à se protéger et Elle a chargé Riley de lui fabriquer une ligne de défense frontale.

J'ai réfléchi à ça. Pour la troisième fois, j'ai frémi.

— Pourquoi ne pas nous en parler, dans ce cas ? Ne devrions-nous pas être sur le qui-vive ?

— Pas bête, a opiné Diego.

Nous nous sommes regardés en silence pendant quelques secondes qui ont paru durer une éternité. Sauf que j'étais à court d'idées, et lui aussi, apparemment.

— Je ne suis pas certaine d'être convaincue, ai-je fini par grimacer. Au sujet de Raoul qui serait bon à quelque chose, s'entend.

— Ce n'est pas moi qui te dirai le contraire, s'est esclaffé Diego qui a ensuite jeté un coup d'œil par la vitrine sur l'aube naissante et a ajouté : Il est temps. Rentrons avant d'être transformés en barbecue.

— Paix à nos cendres ! ai-je entonné en me levant et en rassemblant mes livres.

Diego a rigolé.

En chemin, nous nous sommes brièvement arrêtés dans un grand magasin afin d'y faucher de vastes sachets en plastique à glissière ainsi que deux sacs à dos. J'ai soigneusement emballé mes bouquins. Les pages gondolées par l'humidité m'agaçaient profondément.

Puis nous sommes retournés vers le port, par les toits pour l'essentiel. Le ciel commençait à se teinter de gris à l'est. Nous nous sommes glissés dans le détroit, juste sous le nez de deux vigiles qui montaient la garde près du ferry, inconscients de notre présence. Heureusement pour eux que j'étais rassasiée, car ils étaient si proches que j'aurais eu du mal à me contrôler. Une fois au fond de l'eau, nous avons fait la course jusque chez Riley.

Au début, je ne me suis pas rendu compte qu'il s'agissait d'une course. Je nageais vite, simplement parce que le jour se levait rapidement. D'ordinaire, je ne m'attardais pas dehors aussi longtemps. Pour être honnête, je m'étais transformée en un vampire hyper fayot : je suivais les règles, je ne créais pas d'ennuis, je traînais en compagnie des jeunes les plus impopulaires du groupe et je rentrais toujours tôt à la maison.

Mais Diego s'est mis à foncer comme un dingue. Dès qu'il a eu quelques longueurs d'avance sur moi, il s'est retourné, m'a souri et, des lèvres, m'a lancé : « Alors quoi ? Tu ne tiens pas le rythme ? » avant de repartir de plus belle. Bref, pas question d'accepter ça. J'étais incapable de me souvenir si j'avais ou non eu l'esprit de compétition autrefois – tout cela paraissait tellement loin et tellement dénué d'importance ; n'empêche, je l'avais peut-être eu, car j'ai aussitôt relevé le défi. Diego était bon nageur, mais j'étais plus forte que lui, surtout après m'être nourrie. « À plus ! » l'ai-je nargué en le doublant, même si je ne suis pas sûre qu'il l'ait remarqué.

Sans perdre de temps à vérifier combien de longueurs je lui mettais dans la vue, je l'ai semé dans les eaux sombres, filant à travers le détroit jusqu'à l'île sur laquelle était situé notre plus récent foyer. Avant cela, nous avions habité un vaste chalet perdu au milieu de nulle part, dans la chaîne des Cascades. Cette maison-là était elle aussi retirée, dotée d'une cave immense, et ses propriétaires étaient récemment décédés.

J'ai escaladé à toutes jambes les eaux peu profondes de la berge caillouteuse avant de planter mes doigts dans la falaise de grès afin de l'escalader. J'agrippais le tronc d'un pin en surplomb quand j'ai entendu Diego émerger derrière moi. D'une pirouette, je me suis propulsée au sommet. Lorsque j'ai atterri sur la plante des pieds, deux choses m'ont frappée : un, il faisait très clair ; deux, la maison avait disparu.

Enfin, pas complètement. Il en restait çà et là des ruines, mais l'espace qu'elle avait occupé était désert. Le toit s'était effondré en un enchevêtrement anguleux de poutres noircies et pendait plus bas que l'ancienne porte principale, à présent démolie. Le soleil montait vite dans le ciel. Le vert des pins était déjà discernable. Bientôt, leurs pointes les plus tendres se dessineraient entièrement sur leur fond plus sombre, et je serais morte.

Vraiment morte, plus précisément. Ma seconde vie de superhéroïne toujours assoiffée s'achèverait dans une explosion de flammes. Je ne pouvais qu'imaginer à quel point ce serait douloureux. Très douloureux.

La destruction de l'un de nos foyers n'était pas une première pour moi. Entre les multiples bagarres et les incendies qui se produisaient dans les caves, ils ne duraient jamais que quelques semaines. En revanche, arriver sur les lieux du massacre à une heure où le soleil menaçait était une première. Sous le choc, j'ai avalé une grande goulée d'air. Diego m'a rejointe à ce moment-là.

— Et si on s'enterrait sous le toit ? ai-je chuchoté. Est-ce que ça suffirait pour…

— Pas de panique, Bree, m'a-t-il rassurée, l'air un peu trop serein. Je connais un endroit. Viens.

Sur ce, il s'est jeté au bas de la falaise en effectuant une cabriole arrière fort élégante. À mon avis, l'eau ne suffirait pas à filtrer les rayons du soleil. Au moins, nous ne brûlerions peut-être pas ? Hum…

plutôt minable, comme plan. Cependant, au lieu de m'enfouir sous la carcasse incendiée de la maison, j'ai plongé moi aussi. Une fois n'est pas coutume, j'étais en proie au doute, un drôle de sentiment. D'habitude, j'agissais en fonction d'une routine, selon ce qui me paraissait rationnel.

J'ai retrouvé Diego sous la surface. Il s'était remis à faire la course, mais sans plaisanter. Cette fois, c'était le soleil qu'il défiait. Contournant un des caps de l'île, il s'est brutalement enfoncé vers les profondeurs. J'ai été surprise qu'il ne heurte pas le sable, encore plus cependant quand j'ai senti un courant chaud qui venait de ce que, jusqu'alors, j'avais pris pour un simple affleurement rocheux.

Dénicher un tel endroit avait été astucieux de la part de Diego. Certes, ça n'allait pas être très amusant de rester assis dans une caverne immergée toute la journée – ne pas respirer finissait par irriter, au bout de quelques heures –, mais c'était mieux que d'exploser et d'être réduit en cendres. J'aurais dû suivre l'exemple de Diego et réfléchir ; penser à autre chose qu'au sang ; me préparer à l'inattendu.

Il s'est glissé dans une crevasse étroite. Les parages étaient noirs comme l'encre. Sans danger aussi. Comme l'exiguïté empêchait de nager, je me suis tortillée dans le goulet d'étranglement derrière mon guide. Je guettais l'instant où il s'arrêterait. Cela ne s'est pas produit. Nous grimpions, encore et toujours. Soudain, j'ai compris que nous remontions *vraiment* et, presque aussitôt, j'ai entendu Diego émerger.

La seconde d'après, j'ai crevé la surface à mon tour.

La grotte n'était rien qu'une petite cavité, un terrier mesurant à peine la taille d'une Coccinelle Volkswagen, en moins haut. Un second boyau, au fond, ventilait les lieux. J'ai distingué la forme des doigts de Diego qui se répétait à l'infini sur les parois de grès.

— Chouette endroit, ai-je commenté.

Il a souri.

— Toujours mieux que le dos de Fred le Frappadingue.

— Ce n'est pas faux. Hum… merci.

— De rien.

Pendant une minute, nous nous sommes fixés dans l'obscurité. Son visage était détendu, calme. Avec n'importe qui d'autre, Kevin, Kristie, n'importe qui, cela m'aurait flanqué la frousse – l'étroitesse de la caverne, la proximité forcée, l'odeur de Diego que je humais partout autour de moi. Cela aurait pu signifier une mort rapide et douloureuse. Mais Diego se contrôlait. Contrairement au reste du groupe.

— Quel âge as-tu ? m'a-t-il soudain demandé.

— Trois mois. Je te l'ai déjà dit.

Je me suis reculée, mal à l'aise quand j'ai compris

qu'il parlait de ma vie *humaine*. Personne n'abordait ces sujets. Personne ne souhaitait y repenser. Néanmoins, je n'avais pas envie de mettre un terme à la conversation. Une discussion, rien que cela, c'était nouveau et très différent.

— J'avais… euh, quinze ans, je crois. Presque seize. Je ne me souviens pas du jour… Était-ce après mon anniversaire ?

Je me suis efforcée d'y réfléchir. Malheureusement, ces dernières semaines rythmées par la faim constituaient un vaste flou, et tenter de les éclaircir me donnait une étrange migraine. J'ai renoncé, secoué la tête.

— Et toi ?

— Je venais d'en avoir dix-huit. Si près.

— De quoi ?

— De m'en sortir.

Il n'a pas précisé. Un silence gêné s'est installé, qu'il a rompu en passant à autre chose.

— Tu t'en es vraiment bien tirée depuis que tu es ici, a-t-il décrété en balayant de son regard mes bras croisés et mes jambes repliées. Tu as survécu, tu as évité de te faire remarquer par les mauvaises personnes, tu es restée intacte.

Haussant vivement les épaules, j'ai relevé la manche gauche de mon tee-shirt afin de dévoiler la vilaine cicatrice ronde et fine qui déparait le haut de mon bras.

— Jen m'a arraché ce morceau-là, une fois. Je l'ai récupéré avant qu'elle ait le temps de l'avaler. Riley m'a montré comment le remettre en place.

Avec un sourire ironique, il a effleuré son genou droit. Son jean noir dissimulait la marque qui devait s'y trouver.

— Ça arrive à tout le monde.

— Aïe !

— Sérieux. Mais, comme je te le disais à l'instant, tu es un vampire plutôt doué.

— Suis-je censée te remercier ?

— Je réfléchis à haute voix, rien de plus. J'essaye de comprendre.

— Quoi donc ?

Il a légèrement froncé les sourcils.

— Ce qui se passe vraiment. Ce que mijote Riley. Pourquoi il ne cesse de *lui* apporter tout un tas d'ados. Pourquoi il semble puiser indifféremment dans les gens comme toi ou comme cet imbécile de Kevin.

Visiblement, il ne connaissait pas Riley mieux que moi.

— Les gens comme moi, c'est qui ?

— Ceux dont Riley ferait mieux de se contenter. Les malins. Au lieu d'accepter les membres de gangs violents, tels ceux que Raoul n'arrête pas de ramener. Je suis prêt à parier que tu n'étais pas une traînée camée jusqu'aux yeux quand tu étais humaine.

Le dernier mot m'a embarrassée, et je me suis tré-moussée. Diego a attendu que je lui réponde, comme s'il n'avait rien dit de bizarre. Inspirant profondé-ment, j'ai réfléchi.

— Je n'en étais pas très loin, ai-je admis au bout de quelques secondes. Pas encore, mais il aurait suffi d'un ou deux mois, et… Tu sais, si je ne me rappelle pas grand-chose, je me souviens au moins d'avoir pensé qu'il n'existait rien de plus puissant au monde que la faim. Cette bonne vieille faim. Je me trompais. La soif est pire.

— À qui le dis-tu ! a-t-il rigolé.

— Et toi ? ai-je demandé. Tu n'étais pas un ado en pleine crise et fugueur comme nous autres ?

— Oh çà ! En pleine crise, je l'étais bel et bien !

Il s'est tu. Sauf que, moi aussi, j'étais capable d'attendre qu'il daigne répondre à des questions déplacées. Je l'ai fixé. Il a soupiré. Son haleine sen-tait bon. Tout le monde dans le groupe émettait une odeur douceâtre. Diego, lui, avait un petit quelque chose en plus. Une pointe d'épice, comme de la can-nelle ou du clou de girofle.

— J'essayais de rester à distance de la loose ambiante, a-t-il fini par reprendre. Je bossais dur au bahut, j'allais m'évader du ghetto, fréquenter la fac, réussir à faire quelque chose de moi, les délires habi-tuels, quoi. Malheureusement, il y avait un type… pas très différent de Raoul. Tu en es ou tu crèves, telle était sa devise. J'évitais sa bande. J'étais prudent. Je survivais.

Une fois encore, il s'est interrompu, a fermé les paupières.

— Et ? ai-je insisté, pas prête à renoncer.

— Mon petit frère n'a pas été aussi prudent que moi.

J'ai failli demander si le gamin en avait été ou avait crevé, mais l'expression de son visage rendait toute question superflue. J'ai détourné les yeux, hésitant quant à la réaction à adopter. Je n'étais pas en mesure de saisir vraiment sa perte, la souffrance qu'elle continuait de lui causer. Je n'avais laissé derrière moi rien qui soit susceptible de me manquer. Était-ce ce qui nous différenciait ? Était-ce pour cela qu'il s'attardait sur des souvenirs que nous autres fuyions ?

Je ne voyais toujours pas comment Riley était entré en scène. Riley et son cheese-burger de la douleur. J'avais envie de découvrir cette partie de l'histoire, mais je me sentais nulle d'avoir poussé Diego dans ses retranchements, maintenant. Heureusement pour ma curiosité, il a poursuivi au bout d'un moment.

— Grosso modo, j'ai perdu les pédales. J'ai piqué un flingue à un pote et je suis parti en chasse. (Il a eu un rire sans joie.) Je n'étais pas aussi doué qu'aujourd'hui. J'ai descendu le gars qui avait descendu mon frère avant que sa bande ne me descende. Ensuite, ils m'ont coincé dans une ruelle. Soudain, Riley a surgi, s'interposant entre eux et moi. Je me souviens de m'être dit que c'était le mec le plus blafard que j'avais jamais vu. Il n'a même pas adressé un regard à ces types quand ils lui ont tiré dessus. À croire que les balles étaient aussi inoffensives que des mouches. Tu sais ce qu'il m'a sorti, alors ? Il m'a balancé : « Tu veux une nouvelle vie, môme ? »

— Ha ! me suis-je esclaffée. C'était mieux que ce à quoi j'ai eu droit. Moi, ça a été : « Tu veux un hamburger, môme ? »

Je n'avais pas oublié l'allure de Riley cette nuit-là, bien que les images soient troubles, parce que j'étais bigleuse, alors. C'était le mec le plus sexy de la terre, grand, blond, parfait sous tous rapports. Je m'étais dit que ses yeux devaient être aussi beaux que le reste de sa personne, derrière les lunettes noires qu'il ne retirait jamais. Sa voix était si tendre, si gentille. J'avais cru deviner ce qu'il exigerait en échange du repas, j'étais d'accord pour le lui accorder. Pas parce qu'il était craquant, mais parce que je n'avais mangé que des restes repêchés dans des poubelles depuis quinze jours. Il s'est cependant révélé qu'il désirait carrément autre chose.

La phrase sur le hamburger a provoqué le rire de Diego.

— Tu devais vraiment mourir de faim.

— Tu m'étonnes !

— Pourquoi cette fringale ?

— Parce que j'étais idiote et que je m'étais enfuie avant d'avoir mon permis de conduire. Impossible d'obtenir un vrai boulot. Quant à faucher, j'étais plutôt nulle.

— Et que fuyais-tu ?

J'ai hésité. Mes souvenirs étaient un peu plus clairs au fur et à mesure que je me concentrais dessus, et je n'étais pas certaine d'être prête à aller jusque-là.

— Hé, je t'ai raconté mon histoire, a-t-il plaidé, enjôleur.

— C'est vrai. O.K., je fuyais mon père. Il me cognait. Il avait dû maltraiter ma mère également, avant qu'elle ne mette les bouts. J'étais toute jeune, à cette époque, beaucoup de trucs m'échappaient. C'est devenu de pire en pire. Je me suis dit que, si j'attendais trop longtemps, j'allais finir par y passer. Lui m'a assuré que si je fuguais, je crèverais la dalle. Il avait raison. Pour ce qui me concerne, c'est même le seul truc sur lequel il ait jamais eu raison. Je n'y pense pas souvent.

Diego a acquiescé.

— Ce n'est pas simple d'évoquer ce genre de choses, hein ? Tout est si confus, si sombre.

— Un peu comme si on essayait d'y voir avec du sable plein les yeux.

— Jolie métaphore, m'a-t-il félicitée.

Puis il a louché dans ma direction, s'est frotté les

paupières. Une fois encore, nous avons éclaté de rire. Ensemble. Étrange.

— Il ne me semble pas avoir ri avec qui que ce soit depuis que j'ai rencontré Riley, a-t-il murmuré, comme en écho à mes pensées. C'est chouette. Différent. As-tu déjà essayé d'avoir une conversation avec les autres ?

— Non.

— Tu n'as rien raté. Ce qui me ramène à mon idée. Le niveau de vie de Riley ne serait-il pas plus élevé s'il s'entourait de vampires un tant soit peu convenables ? Si nous sommes censés *la* protéger, ne devrait-il pas rechercher des types intelligents ?

— On peut en déduire qu'il n'a pas besoin de cerveaux. Seulement de troupes.

Diego a pincé les lèvres, songeur.

— Comme aux échecs, a-t-il marmonné. Il n'utilise ni cavaliers ni fous.

— Nous ne sommes que des pions, me suis-je soudain rendu compte.

Une longue minute, nous nous sommes dévisagés.

— Non, a-t-il enfin décrété. Je refuse d'y croire.

— Alors, qu'est-ce que nous faisons ? ai-je demandé en recourant automatiquement au pluriel.

Comme si nous formions déjà une équipe. Il a soupesé ma question pendant une seconde, l'air gêné, et j'ai regretté le « nous ».

— Que pouvons-nous faire quand nous ignorons ce qui se passe ? a-t-il cependant répondu.

Donc, il n'avait rien contre l'idée d'une équipe, ce qui m'a emplie d'une allégresse que je ne me rappelais pas avoir jamais éprouvée.

— Pour moi, on garde les yeux ouverts, on est prudents, on essaye de piger.

— Il faut que nous réfléchissions à tout ce que Riley nous a raconté, a-t-il opiné. À tout ce qu'il a fait. Tu sais, a-t-il précisé après une pause, j'ai tenté un jour de discuter un peu de ça avec lui. Il s'en fichait complètement. Il m'a conseillé de me focaliser sur des matières plus importantes, comme la soif. Il est vrai, bien sûr, qu'elle m'obsédait, à ce moment-là. Il m'a envoyé chasser, et j'ai cessé de me tourmenter…

Je l'ai observé. Il songeait à Riley, le regard perdu, revivant ce souvenir. J'ai eu le sentiment que si Diego était mon premier ami dans cette vie, je n'étais pas la sienne. Brusquement, ses yeux ont recouvré leur acuité et se sont fixés sur moi.

— Bon, que nous a confié Riley ?

Concentrée, j'ai songé à ces trois derniers mois.

— Il ne raconte pas grand-chose, ai-je fini par conclure. Il nous dispense juste les informations nécessaires à notre nouveau statut de vampires.

— Nous allons devoir l'écouter plus attentivement.

Un mutisme rêveur s'est installé. J'ai surtout pensé à tout ce que j'ignorais et aux raisons pour lesquelles je ne m'en étais pas préoccupée plus tôt. C'était comme si cette conversation avec Diego m'avait éclairci l'esprit. Pour la première fois en un trimestre, le *sang* n'était plus l'essentiel de mon existence. Le silence s'est prolongé. Le trou qui servait de bouche d'aération à la grotte n'était plus noir mais gris sombre. Il s'éclaircissait de manière infinitésimale à chaque seconde. Diego a remarqué que j'épiais le phénomène avec nervosité.

— Tranquillise-toi, m'a-t-il rassurée en haussant les épaules. Les jours de grand soleil, il ne filtre par là qu'une lueur étouffée. C'est indolore.

Malgré tout, je me suis vivement tassée près du boyau par lequel nous étions arrivés jusqu'ici. Avec la marée descendante, l'eau se retirait.

— Crois-moi, Bree, je suis déjà venu ici en pleine journée. J'ai signalé cette caverne à Riley. Je lui ai dit que, pour l'essentiel, elle était remplie d'eau, et il a répondu que c'était bien, que j'avais un endroit où me réfugier quand je ne supportais plus notre maison de fous. Est-ce que j'ai l'air d'avoir été brûlé ?

J'ai tergiversé, songeant à quel point sa relation avec Riley était différente de la mienne. Il a sourcillé, guettant ma réaction.

— Non, ai-je fini par reconnaître. N'empêche…

53

— Regarde, s'est-il impatienté avant de ramper agilement vers le goulet de ventilation pour y enfoncer son bras jusqu'au coude. Tiens, tu vois, il ne se passe rien.

J'ai acquiescé.

— Alors, reste calme ! Veux-tu que je vérifie jusqu'où je peux monter ?

Tout en parlant, il avait enfoncé sa tête dans le trou et avait entrepris de grimper.

— Non, Diego ! ai-je crié. Je suis relax, je te le jure.

Mais il avait disparu. Son rire m'est parvenu, et j'ai eu l'impression qu'il était déjà à plusieurs mètres à l'intérieur du tunnel. J'aurais voulu le suivre, l'attraper par la cheville pour le ramener de force ; malheureusement, le stress me pétrifiait sur place. Il aurait été idiot que je risque ma peau pour sauver celle d'un parfait inconnu. Cependant, je n'avais eu droit à rien qui ressemble autant à un ami depuis des lustres. Il me serait difficile de recommencer à n'avoir personne avec qui discuter, même si je n'avais fraternisé avec lui que depuis une nuit.

— *No estoy quemando !*[1] m'a-t-il lancé sur un ton moqueur. Un instant ! Est-ce que ce… *Ouille !*

— Diego ?

---

1. Littéralement : « Je ne suis pas en train de brûler ! » (en espagnol). *(N.d.T.)*

Franchissant l'espace d'un bond, j'ai à mon tour passé la tête dans l'orifice. Son visage était juste là, à deux centimètres du mien.

— Bouh !

Face à pareille proximité, je me suis précipitamment reculée. Rien qu'un réflexe, une vieille habitude.

— Très drôle ! ai-je râlé en m'écartant, tandis qu'il réintégrait notre refuge.

— Tu as bien besoin de te détendre, ma vieille. J'ai étudié le truc, pigé ? La lumière indirecte n'est pas dangereuse.

— Es-tu en train de suggérer que… je pourrais par exemple rester sans crainte à l'ombre d'un arbre ?

Il a eu un instant d'hésitation, comme s'il jaugeait de la nécessité ou non de me confier quelque chose, puis il a soufflé :

— Je l'ai déjà fait. Une fois.

Je l'ai toisé, à l'affût d'un sourire ; ça ne pouvait être qu'une blague.

Il n'a pas souri.

— Riley dit que…

Je me suis interrompue.

— Je suis au courant de ce que dit Riley, a-t-il opiné. Il n'en sait peut-être pas autant qu'il le soutient.

— Mais Shelly et Steve ? Doug et Adam ? Cet ado

aux cheveux roux ? Tous ont disparu, faute d'être rentrés à temps. Riley a vu leurs cendres.

Diego m'a gratifiée d'une mine renfrognée.

— Ce n'est un secret pour personne, ai-je insisté. Les vampires d'autrefois étaient obligés de rester dans un cercueil durant la journée pour se protéger du soleil. C'est un fait notoire, Diego.

— En effet, toutes les histoires mentionnent ce détail.

— Au demeurant, que gagnerait Riley à nous enfermer dans une cave hermétique à la lumière, une sorte de gros cercueil commun ? Nous démolissons l'endroit, il est obligé de gérer les bagarres, l'effervescence est permanente. Et ne me raconte pas que ça lui plaît !

Une de mes remarques l'avait étonné, apparemment, car il a gardé la bouche ouverte durant une seconde avant de la refermer.

— Qu'est-ce qu'il y a ?

— Un fait notoire, a-t-il répété. Que fabriquent les vampires dans leur cercueil toute la sainte journée ?

— Euh… eh bien, ils dorment, j'imagine, non ? Sauf que, à mon avis, ils se rasent comme pas permis, puisque nous ne… Bon, d'accord, ça ne colle pas.

— Exact. Dans les livres, ils ne se bornent pas à dormir. Ils sont complètement inconscients, incapables de se réveiller. C'est alors qu'un humain a la possibilité de leur enfoncer un pieu dans le cœur.

Tiens, encore un truc qui cloche, ces pieux. Tu crois vraiment que quelqu'un arriverait à te transpercer avec un bout de bois ?

— Je n'y ai pas franchement réfléchi, ai-je éludé. Même si tu as raison, ça ne fonctionnerait pas. Ou alors, il faudrait qu'il soit très aiguisé et qu'il ait… ben, je n'en sais trop rien, moi, des vertus magiques, quelque chose comme ça.

— Oh, je t'en prie ! a-t-il ricané.

— Que veux-tu que je te dise ? Sinon que, pour sûr, je ne resterais pas là tranquillement à attendre qu'un humain m'embroche avec un manche à balai.

La mine toujours aussi méprisante, comme si invoquer la magie était vraiment limite quand on était un vampire, Diego a roulé sur les genoux et s'est mis à creuser le grès au-dessus de sa tête. De petits fragments de pierre sont tombés sur ses cheveux, il n'en a eu cure.

— Qu'est-ce que tu fiches ?

— Je tente une expérience.

Il s'est foré un passage, jusqu'à pouvoir se mettre debout, et a continué son œuvre.

— Si tu sors au soleil, tu vas exploser. Arrête ça, Diego !

— Je ne cherche pas à… Ah ! Nous y sommes.

Un puissant craquement a retenti, suivi d'un second. Pas de lumière. Diego s'est baissé, assez près de moi pour que je distingue ses traits. Il tenait une racine, blanche, morte, sèche sous la motte de terre qui s'accrochait encore à elle. L'extrémité où il l'avait brisée formait une pointe inégale et acérée. Il me l'a lancée.

— Poignarde-moi !

Je lui ai renvoyé la racine.

— N'importe quoi !

— Je suis sérieux. Tu as conscience que ça sera inoffensif, non ?

Au lieu de s'emparer du bout de bois, il l'a expédié d'un coup de pied dans ma direction. Je l'ai écarté de la main. Le rattrapant à la volée, il a grogné :

— Ce que tu es… *superstitieuse* !

— Je suis un *vampire*, ai-je riposté. Si ça, ça ne prouve pas que les gens superstitieux ont raison, je ne sais pas ce qui le prouvera.

— Très bien. Puisque c'est comme ça, je vais le faire, moi.

Éloignant la racine d'un geste théâtral, il l'a brandie comme s'il s'agissait d'une épée dont il s'apprêtait à se frapper.

— Arrête, ai-je plaidé, mal à l'aise. C'est idiot.

— Exactement ce que je m'efforce de te prouver. Il ne se passera rien.

Sur ce, avec assez de force pour défoncer une dalle de granite, il a écrasé le pieu contre son torse, à l'endroit même où son cœur avait autrefois battu. Je me suis pétrifiée, affolée, jusqu'à ce qu'il s'esclaffe.

— Non mais tu verrais ta tête, Bree !

Il a effrité les éclats de bois entre ses doigts. La racine, complètement fracassée, est tombée par terre en plusieurs morceaux. Il a brossé sa chemise, quand bien même c'était inutile, vu son état lamentable, après qu'il eut nagé et creusé. Lui comme moi allions devoir voler de nouveaux vêtements dès que l'occasion se présenterait.

— Si ça se trouve, c'est différent quand c'est un humain qui tient le pieu.

— Tu te sentais tellement magique, quand tu étais humaine ?

— Écoute, Diego, me suis-je emportée, je n'en ai pas la moindre idée. Mais ces histoires, ce n'est pas moi qui les ai inventées.

Il a hoché la tête, sérieux à présent.

— Et si elles n'étaient que ça ? Des inventions ?

— Et alors ? ai-je soupiré. Ça changerait quoi ?

— Je l'ignore. N'empêche, si nous voulons découvrir pourquoi nous sommes ici, pourquoi Riley nous a apportés à Elle, pourquoi Elle s'entête à exiger toujours plus de vampires, nous devons en apprendre le plus possible.

Il a plissé le front. Toute trace de plaisanterie avait à présent disparu de son visage. Je me suis bornée à le fixer, n'ayant aucune réponse à lui apporter. Soudain, son expression s'est adoucie. À peine.

— Cela m'aide beaucoup, tu sais ? D'en parler. Ça me permet de me concentrer.

— Moi aussi, ai-je reconnu. La raison pour laquelle je n'y ai encore jamais réfléchi m'échappe. Ça paraît tellement évident, maintenant. Cependant, à force d'y travailler à deux… je ne l'explique pas, mais je m'éparpille moins.

— Oui, a-t-il acquiescé avec un sourire. Je suis vraiment content que tu aies été envoyée en expédition, cette nuit.

— Inutile d'être tout sucre tout miel avec moi.

— Quoi ? Tu n'as pas envie qu'on soit les meilleurs amis du monde ?

Il avait prononcé ces derniers mots en écarquillant les yeux, sa voix montant d'une octave. L'expression, idiote, a déclenché son hilarité. J'ai soupiré, incertaine quant à l'objet de ses railleries – ses propres mots ou moi.

— Allez, Bree, sois ma copine à la vie à la mort, je t'en prie !

Il se moquait toujours, mais son sourire était immense, authentique et… plein d'espoir. Il a tendu la main. J'allais lui en taper cinq pour de bon, cette fois, puis j'ai pigé qu'il avait autre chose en tête lorsqu'il s'est emparé de ma paume et l'a gardée dans la sienne. Toucher une autre personne était d'une étrangeté choquante, après toute une vie – et ces trois derniers mois *étaient* toute ma vie – à éviter le moindre contact. C'était comme effleurer une ligne à haute tension tombée à terre pour s'apercevoir que c'est agréable. J'ai senti un sourire se dessiner sur mes lèvres, un peu tordu.

— O.K.

— Génial. Notre petite société à nous deux.

— Fermée aux autres.

Il ne m'avait pas lâchée, dans un geste qui hésitait entre la poignée de main et une forme de tendresse.

— Nous devons maintenant échanger un serment qui scelle notre accord secret.

— Je t'en prie.

— Bien. La société supersecrète des meilleurs amis est officiellement fondée, ses membres sont tous présents, un serment également secret sera inscrit à l'ordre du jour à une date restant à déterminer. Pour l'instant, la priorité est la suivante : Riley. Est-il aussi ignorant que nous ? Juste mal informé ? Ou nous ment-il ?

Tandis qu'il parlait, il ne me quittait pas des yeux. Les siens étaient grands ouverts, sincères. Son expression ne s'est pas modifiée quand il a prononcé le nom de Riley. En cet instant, j'ai été persuadée que les racontars qui couraient sur eux deux étaient infondés. Simplement, Diego existait depuis plus longtemps que la plupart d'entre nous. Je pouvais le croire.

— Ajoute le mot programme à ta liste, ai-je précisé. Genre, quel est celui de Riley ?

— En plein dans le mille. Nous devons le découvrir. Mais d'abord, une nouvelle expérience.

— Ce terme me rend nerveuse.

— La confiance entre nous est une base essentielle de notre société secrète.

Se relevant, il s'est remis à creuser le trou qu'il venait de forer dans le plafond de la grotte. En un clin d'œil, je n'ai plus vu que ses pieds qui pendaient : se retenant d'une main au goulet, il l'agrandissait de l'autre.

— J'espère pour toi que tu trouveras de l'ail ! l'ai-je averti en reculant vers le tunnel d'accès à la mer.

— Ce sont des légendes, Bree, a-t-il répondu.

Il s'est hissé un peu plus haut. La terre a continué de dégringoler. À ce rythme, il n'allait pas tarder à combler notre cachette. Ou à l'inonder de lumière, ce qui la rendrait tout aussi inutile. Je me suis glissée presque entièrement dans le siphon, mon issue de secours. Seuls mes phalanges et mes yeux dépassaient du rebord. L'eau m'arrivait aux hanches. Je n'aurais besoin que d'une fraction de seconde pour disparaître dans les ténèbres aquatiques. J'étais capable de rester une journée complète sans respirer.

Je n'avais jamais beaucoup apprécié le feu. C'était dû soit à quelque raison oubliée remontant à l'enfance, soit à ma transformation récente. J'avais eu mon compte de brûlure lors de ma mutation.

Diego n'était sans doute plus très loin de la surface

du sol, à présent. Une fois encore, j'ai lutté contre la perspective angoissante de perdre mon nouvel et unique ami.

— Je t'en supplie, arrête, ai-je chuchoté, consciente que ma prière déclencherait sûrement ses rires, qu'il ne l'écouterait pas.

— Confiance, Bree !

J'ai attendu, figée sur place.

— Ça y est presque, a-t-il marmonné. Là…

Je me suis raidie, guettant la clarté, voire une explosion. Rien. Diego s'est laissé retomber par terre. Il tenait maintenant une racine plus longue que la précédente, espèce de chose serpentine et épaisse qui me dépassait en taille.

— Je ne suis pas complètement inconscient, m'a-t-il lancé avec un regard style je-te-l'avais-bien-dit. Tu vois, je prends des précautions, a-t-il expliqué en désignant la racine.

Sur ce, il a planté cette dernière dans son trou, déclenchant une avalanche de cailloux et de sable, tandis que lui-même s'écartait en se remettant à genoux. C'est alors qu'un rayon de lumière étincelante gros comme un des bras de Diego a transpercé l'obscurité de la caverne. Il formait une colonne du sol au plafond qui vacillait sous l'effet des débris qui continuaient à dégringoler. J'étais statufiée, agrippée au rebord du tunnel, sur le point de plonger.

Diego ne s'est pas brusquement écarté, n'a pas crié

non plus. Aucune odeur de fumée ne m'est parvenue. La grotte était cent fois plus claire maintenant, mais cela ne semblait pas affecter mon ami. Ainsi, ce qu'il m'avait confié de l'ombre des arbres était peut-être vrai. Circonspecte, je l'ai observé, agenouillé près du faisceau, immobile, le regard fixe. Il avait l'air d'aller bien, même si un changement s'était opéré au niveau de sa peau. Une sorte de mouvement, sans doute dû à la poussière qui retombait en reflétant la lumière. On aurait dit qu'il luisait.

Ou alors, ce n'était pas l'effet de la poussière mais l'incandescence, et brûler n'était pas douloureux, ce dont il s'était rendu compte trop tard…

Les secondes se sont écoulées. Pétrifiés, nous observions la clarté du jour.

Puis, dans un geste qui paraissait à la fois complètement logique et carrément impensable, Diego a tendu la main, paume vers le ciel, vers le pilier lumineux. J'ai réagi plus vite que je n'ai réfléchi, ce qui est pourtant assez rapide ; plus vite que j'avais jamais réagi. Me jetant sur lui, je l'ai plaqué contre la paroi de la grotte avant qu'il ait atteint le faisceau.

Tout à coup, notre cachette a été illuminée par un violent éclair. J'ai senti une chaleur sur ma jambe à l'instant où je m'apercevais que l'endroit était trop exigu pour que je puisse coller Diego au mur sans être atteinte par les rayons du soleil.

— Bree ! a-t-il haleté.

Instinctivement, je l'ai lâché et j'ai roulé sur moi-même, m'adossant à côté de lui. Durant la fraction de seconde nécessaire à ce mouvement, j'ai attendu que la souffrance me frappe ; à ce que les flammes m'engloutissent, comme la nuit où je l'avais rencontrée, Elle, mais encore plus promptement. Le soudain éclat aveuglant s'était éteint, et la colonne lumineuse avait repris sa place.

Je me suis tournée vers Diego. Bouche bée, il écarquillait les yeux. Il était d'une immobilité absolue, signe certain d'un danger. J'avais envie d'inspecter ma jambe tout en redoutant de découvrir les dégâts. Là, ce n'était plus comme le jour où Jen m'avait arraché un pan de bras, même si c'était moins douloureux. Je n'allais pas réussir à réparer les dégâts.

Toujours aucune souffrance, cependant.

— Tu as vu ça, Bree ?

J'ai vivement secoué la tête.

— C'est grave ?

— Grave ?

— Ma jambe, ai-je grogné entre mes dents. Dis-moi juste ce qu'il en reste.

— Elle n'a rien.

J'ai jeté un coup d'œil en bas. En effet, j'avais toujours un pied et un mollet. J'ai remué les orteils. Tout fonctionnait.

— Tu as mal ? s'est enquis Diego.

— Pas encore, ai-je admis en m'agenouillant.

— As-tu eu le temps de voir ce qui s'est passé ? La lumière ?

J'ai fait signe que non.

— Alors, mate un peu ça.

À son tour, il s'est mis par terre, devant le pilier incandescent.

— Et, s'il te plaît, ne me pousse pas, cette fois. Tu as déjà prouvé que j'avais raison.

Il a tendu la main. J'ai eu beaucoup de difficulté à regarder la scène, en dépit de ma jambe intacte. À l'instant où ses doigts ont effleuré le faisceau, la caverne a été inondée par un million d'arcs-en-ciel étincelants qui se reflétaient partout. Midi tapant sur une verrière, un flot de lumière. J'ai tressailli, j'ai frémi. J'étais nimbée de soleil.

— Incroyable, a murmuré Diego.

Alors, il a plongé toute sa main dans la colonne, et la grotte a réussi à devenir encore plus brillante. Il a tourné et retourné son poing. Les reflets flamboyants dansaient sur sa peau comme s'il avait joué avec un prisme. Je n'ai senti aucune odeur de brûlé, et il était évident qu'il n'avait pas mal. Observant sa main de plus près, j'ai eu l'impression qu'un milliard de minuscules miroirs couraient à sa surface, trop petits pour qu'on les distingue séparément, mais renvoyant tous la lumière avec plus d'intensité qu'une glace ordinaire.

— Approche, Bree. Il faut que tu essaies.

Je n'avais aucune raison de refuser, j'étais intriguée. Pourtant, c'est avec réticence que je me suis glissée à côté de lui.

— Ça ne brûle pas ?

— Pas du tout. La lumière ne nous incendie pas, elle… nous la réfléchissons. Et c'est peu dire.

Avec une lenteur d'humaine, j'ai avancé mes doigts. Aussitôt, ma peau a irradié, illuminant les lieux avec tant de force que, en comparaison, le jour, dehors, devait paraître sombre. En réalité, il s'agissait moins de reflets que d'effets colorés et déformés, tels des cristaux. J'ai enfoncé ma main plus avant, la caverne est devenue aveuglante.

— Penses-tu que Riley le sache ? ai-je chuchoté.

— Peut-être. Peut-être pas.

— Pourquoi ne nous a-t-il rien dit, s'il est au courant ? À quoi bon garder ça secret ? Nous brillons comme de véritables boules à facettes, et alors ?

Diego a éclaté de rire.

— Je comprends mieux l'origine des vieilles histoires, à présent. Tu t'imagines si, quand tu étais humaine, tu avais assisté à ce genre de spectacle ? Tu aurais forcément cru qu'un type venait de s'immoler, non ?

— À moins qu'il ne soit resté pour s'expliquer, oui, sans doute.

— C'est dingue.

D'un doigt, il a dessiné une ligne à travers ma

paume chatoyante. Puis, sautant sur ses pieds, il s'est placé juste sous le faisceau. La déflagration de lumière a atteint des sommets.

— Viens, sortons d'ici ! m'a-t-il dit après.

Sur ce, il s'est hissé dans le tunnel qu'il avait creusé. À ce stade, on aurait pu penser que je m'étais remise. Sauf que j'étais toujours trop nerveuse pour le suivre. Cependant, ne tenant pas à passer pour une froussarde, je lui ai collé aux basques, bien que je sois morte de peur. Riley avait vraiment insisté sur le fait que le soleil nous incendiait. Dans mon esprit, l'image était associée au moment atroce de ma transformation, quand le feu m'avait dévorée, et un affolement instinctif s'emparait de moi dès que j'y songeais.

Diego a émergé du trou ; une minute plus tard, je l'ai rejoint. Nous étions sur une mince bande herbeuse, non loin des arbres qui recouvraient l'île. Derrière nous, seuls quelques mètres nous séparaient d'une falaise peu élevée et de l'eau. Tout alentour était illuminé par la lumière bigarrée que nous réfléchissions.

— Wouah ! ai-je murmuré.

Diego m'a adressé un sourire immense. La luminosité embellissait ses traits et, soudain, un nœud a tordu mon ventre, et j'ai pris conscience que la plaisanterie sur les meilleurs amis du monde était très en dessous de la réalité. Pour moi, du moins. Ça a été aussi rapide que cela. Son sourire s'est quelque peu atténué. Comme moi, il ouvrait des yeux ronds, partagé entre émerveillement et crainte. Il a effleuré mon visage, comme il l'avait fait avec ma main un peu plus tôt, comme s'il s'efforçait de comprendre ma phosphorescence.

— Tu es si jolie, a-t-il soufflé.

Ses doigts se sont attardés sur ma joue.

J'ignore combien de temps nous sommes restés ainsi, béats comme deux idiots, étincelants comme des lanternes. La baie était vierge de bateaux, ce qui valait sans doute mieux. Même un humain, avec sa pauvre vision naturelle, n'aurait pas manqué de nous repérer. Certes, nous étions invincibles, mais je n'avais pas faim, et les hurlements auraient gâché l'ambiance.

Un gros nuage a fini par cacher le soleil et, tout à coup, nous sommes redevenus nous-mêmes, tout en conservant un léger éclat lumineux. Assez faible cependant pour que quiconque doté d'yeux moins acérés que ceux d'un vampire s'en aperçoive.

Sitôt le phénomène disparu, j'ai recouvré mes esprits et j'ai réussi à songer à la suite des événements. Certes, j'étais consciente que je ne porterais plus jamais le même regard sur Diego, bien qu'il eût retrouvé son apparence normale. La drôle de sensation qui agitait mon estomac ne s'était pas dissipée ;

j'avais même l'impression qu'elle s'était installée en moi pour toujours.

— Est-ce qu'on en parle à Riley ? ai-je demandé. Partons-nous du principe qu'il n'est pas au courant ?

En soupirant, Diego a laissé retomber sa main.

— Je ne sais pas. Tâchons d'abord de retrouver les autres, nous y réfléchirons en chemin.

— Il va falloir nous montrer prudents. Nous tranchons plutôt, au soleil.

— Soyons des Ninjas, a-t-il rigolé.

— Oui, la société supersecrète des Ninjas me paraît autrement plus cool que celle des meilleurs potes.

— Je suis bien d'accord !

Il nous a fallu moins d'une minute pour dénicher l'endroit où la bande avait déserté l'île. C'était le plus facile. Localiser le point où elle avait abordé le continent allait être beaucoup plus compliqué. Nous avons brièvement envisagé de nous séparer avant de voter contre d'un commun accord. Notre logique, imparable, était la suivante : si l'un de nous mettait la main sur le groupe, comment préviendrait-il l'autre ? En vérité, je n'avais pas du tout envie de quitter Diego et je devinais que c'était pareil de son côté. De toute notre existence, ni lui ni moi n'avions bénéficié d'une relation aussi plaisante, et elle était trop agréable pour en gaspiller ne serait-ce qu'une seconde.

Les lieux où nos compagnons avaient pu se replier étaient multiples. La péninsule, une autre île, voire l'extérieur de Seattle ou le nord, près de la frontière canadienne. Chaque fois que nous détruisions ou incendions notre maison, Riley était préparé et semblait savoir très exactement où se rendre ensuite. Il planifiait sans doute ces choses à l'avance, même s'il ne nous mettait pas dans la confidence.

Bref, ils pouvaient être n'importe où.

Plonger et émerger tour à tour afin d'éviter les bateaux et les gens nous a ralentis. Longtemps, la chance nous a fait défaut, ce qui ne nous a pas particulièrement gênés. Nous nous amusions comme jamais. Quelle étrange journée ! Au lieu de rester planquée dans la triste obscurité d'une cave tout en essayant d'occulter le charivari ambiant et de ravaler mon dégoût de Fred, je jouais les Ninjas avec mon nouvel ami, peut-être plus. Nous avons souvent ri en passant de coin ombreux en coin ombreux, nous jetant des cailloux comme s'ils étaient des étoiles chinoises.

Puis le soleil s'est couché et, soudain, j'ai de nouveau cédé à la tension. Riley se lancerait-il à notre recherche ? Croirait-il que nous avions grillé ? Se doutait-il que ce n'était pas possible ?

Nous avons accéléré le mouvement. Beaucoup accéléré. Comme nous avions déjà fait le tour des îlots voisins, nous nous sommes concentrés sur le continent. Une heure environ après le crépuscule, j'ai détecté une odeur familière et, quelques secondes plus tard, nous nous lancions sur leurs traces. Une fois la piste humée, la tâche a été aussi aisée que traquer un troupeau d'éléphants dans la neige fraîche.

Plus graves à présent, nous avons discuté de la marche à suivre.

— Je pense qu'il vaudrait mieux ne rien dire à Riley, ai-je avancé. Bornons-nous à signaler que nous avons passé la journée dans ta grotte avant de partir en quête de la bande. (Ma paranoïa ne cessait d'augmenter.) Mieux encore, précisons que la caverne était pleine d'eau. Nous n'avons même pas échangé une parole.

— Pour toi, Riley est un sale type, hein ? m'a demandé Diego doucement après un court silence.

Il avait pris ma main.

— Je ne sais pas trop, ai-je répondu. Mais je préfère agir ainsi, au cas où. Toi, ai-je ajouté avec hésitation, tu refuses de croire qu'il est néfaste.

— Oui, a-t-il admis. C'est mon ami, en quelque sorte. Enfin, pas comme toi, tu l'es. (Il a serré mes doigts.) N'empêche, il l'est plus que les autres. Je n'ai pas envie d'imaginer que…

Il s'est interrompu sans terminer sa phrase. À mon tour, j'ai serré ses doigts entre les miens.

— Il est peut-être parfaitement respectable. Nous montrer prudents n'y change rien.

— C'est vrai. Bon, d'accord pour l'histoire de la grotte submergée. Au début, en tout cas... Je pourrai toujours discuter du soleil avec lui plus tard. D'ailleurs, j'aimerais mieux aborder le sujet en plein jour, quand j'aurai la possibilité de prouver ce que j'affirme. Et, pour peu qu'il soit déjà au courant mais qu'il ait eu de bonnes raisons de se taire, je lui parlerai seul à seul. À l'aube, quand il rentrera d'une de ses expéditions secrètes.

Que, dans son petit laïus, il emploie des tonnes de « je » à la place des « nous » ne m'a pas échappé. Ça m'a un peu embêtée. En même temps, je ne tenais pas vraiment à me charger de renseigner Riley. Je ne partageais pas la foi que Diego avait en lui.

— Attaque Ninja à l'aube ! lui ai-je lancé pour l'amuser.

Ça a marché, et nous avons recommencé à blaguer tout en traquant notre horde. Cependant, je devinais qu'il ruminait des idées graves derrière les plaisanteries. Exactement comme moi. Au demeurant, plus nous courions, plus j'étais anxieuse. Nous avions beau progresser à très vive allure, sûrs de notre chemin, le trajet prenait trop de temps. Nous nous éloignions pour de bon de la côte, grimpions sur les premiers contreforts des montagnes, en territoire inconnu. Cela ne correspondait pas aux schémas ordinaires.

Toutes les maisons que nous avions squattées, qu'elles soient situées à flanc de colline, sur une île

ou à l'abri d'une vaste ferme avaient eu des caractéristiques communes. Propriétaires morts, isolement,
etc. Toutes avaient été en périphérie de Seattle, axées
autour de la grande ville comme des lunes en orbite.
Seattle avait toujours été le moyeu, la cible. Or, nous
avions à présent quitté l'orbite, ce qui n'augurait
rien de bon. Quoique, peut-être, ça n'ait aucun sens
particulier, que ce soit dû au fait que trop de choses
avaient changé ce jour-là. Toutes les vérités que
j'avais jusqu'alors acceptées sans broncher avaient
été bousculées, renversées cul par-dessus tête, et je
n'étais pas d'humeur à vivre de nouveaux boule-
versements. Pourquoi Riley n'avait-il pas choisi un
endroit normal ?

— C'est bizarre qu'ils se soient installés aussi loin,
a marmonné Diego d'une voix tendue.

— Flippant aussi, ai-je renchéri.

— Tout va bien, m'a-t-il rassurée en serrant ma
main. La société des Ninjas peut tout encaisser.

— As-tu trouvé ton serment secret ?

— J'y travaille.

Quelque chose me tracassait. Comme si j'avais
deviné l'existence d'une faille désarçonnante de
notre univers sans cependant parvenir à mettre
le doigt dessus, alors qu'elle était évidente. Puis, à
environ quatre-vingts kilomètres plus à l'ouest de
notre périmètre habituel, nous sommes tombés sur
la maison. Le vacarme était reconnaissable entre

tous. Le bruit sourd des basses, la bande-son d'un jeu vidéo, les feulements furieux. Il s'agissait bien des nôtres.

J'ai récupéré ma main, Diego m'a regardée.

— Hé, je ne te connais même pas ! ai-je rigolé. Je n'ai pas eu de conversation avec toi à cause de toute la flotte dans laquelle nous avons mariné aujourd'hui. Pour ce que j'en sais, tu pourrais être un Ninja ou un vampire.

— Ça vaut pour toi aussi, étrangère, s'est-il marré, avant d'ajouter rapidement à voix basse : Comporte-toi normalement. Demain soir, nous partirons ensemble. En reconnaissance, peut-être. Histoire d'en découvrir un peu plus sur ce qui se trame.

— Ça ressemble à un plan. Motus et bouche cousue !

Se penchant, il m'a *embrassée*. Juste un petit baiser, mais en plein sur les lèvres. La surprise a consumé tout mon corps.

— Allons-y, a-t-il ensuite décrété.

Sans se retourner, déjà tout à son rôle, il s'est avancé en direction du tapage. Un peu ébahie, je l'ai suivi en prenant soin de laisser quelques mètres de distance entre nous, comme je l'aurais fait avec n'importe qui. La baraque était une espèce de chalet coincé dans le creux d'une pinède. Apparemment, il n'y avait aucun voisin à des lieues à la ronde. Toutes les fenêtres étaient obturées, comme si l'habitation était vide, mais la structure tremblait sur ses bases à cause des basses en provenance de la cave.

Diego est entré le premier. Je lui ai emboîté le pas en essayant d'imaginer qu'il était Kevin ou Raoul : hésitante, défendant mon espace vital. Ayant déniché l'escalier menant au sous-sol, il l'a dévalé d'une démarche confiante.

— Alors, les losers, vous tentez de vous débarrasser de moi ? a-t-il lancé.

— Tiens ! Diego est vivant !

C'était Kevin, et sa voix manquait clairement d'enthousiasme.

— Pas grâce à toi, lui a répondu Diego tandis que je me glissais dans la pièce sombre.

La seule lumière émanait de différents écrans de télévision, mais c'était amplement suffisant pour la plupart d'entre nous. Je me suis dépêchée de gagner le divan où Fred trônait, solitaire, contente que mon anxiété passe pour naturelle, car j'étais incapable de la dissimuler. Le dégoût m'a frappée, et j'ai ravalé ma bile avant de me blottir à ma place habituelle, par terre derrière le canapé. Une fois en bas, le pouvoir répulsif de Fred a paru s'atténuer un peu. Ou alors, c'était moi qui m'y faisais.

Les lieux étaient plus qu'à moitié déserts, vu que nous étions en pleine nuit. Tous les vampires présents avaient des yeux identiques aux miens : d'un rouge vif prouvant qu'ils s'étaient récemment nourris.

76

— Il m'a fallu un moment pour nettoyer tes âneries, poursuivait Diego à l'adresse de Kevin. C'était presque l'aube quand je suis arrivé à ce qu'il restait de la précédente maison. J'ai été obligé de me réfugier dans une grotte pleine d'eau toute la journée.

— Eh ben, vas-y, moucharde-moi à Riley. Je m'en fiche.

— Je constate que la petite fille s'en est tirée elle aussi, a marmonné une nouvelle voix.

J'ai tressailli. C'était Raoul. Si j'ai été vaguement soulagée qu'il ignore mon prénom, j'ai surtout été horrifiée qu'il m'ait remarquée.

— Oui, elle m'a suivie, a répondu Diego.

Je ne le voyais pas, mais j'ai deviné qu'il haussait les épaules, en un geste qui m'était désormais familier.

— Quel bon Samaritain ! s'est moqué Raoul avec mépris.

— Nous comporter comme des débiles ne nous rapporte pas plus de points.

J'aurais bien aimé que Diego cesse de chercher Raoul. Pourvu que Riley rentre vite ! Il était le seul à pouvoir le réfréner un peu. Sauf que Riley devait être en train de chasser des racailles pour les apporter à… Elle. Ou alors, il s'adonnait aux occupations qui étaient les siennes quand il n'était pas avec nous.

— Tu as un sacré culot, Diego. Tu es tellement persuadé que Riley t'apprécie qu'il ne rouspétera pas si je te tue. Tu te goures, si tu veux mon avis. Et puis, il te croit déjà mort.

J'ai perçu des mouvements. Sans doute, certains se rapprochaient pour soutenir Raoul, tandis que les autres s'écartaient du chemin. Dans ma cachette, j'ai hésité. Certes, il était exclu que j'abandonne Diego dans la bagarre, mais réagir prématurément risquait d'éventer notre secret. J'espérais qu'il avait survécu aussi longtemps parce qu'il était doué de talents combatifs extraordinaires. De mon côté, je n'avais pas grand-chose à offrir dans ce domaine. Raoul était épaulé par trois membres de sa bande, et des renforts étaient susceptibles de s'ajouter, rien que pour être dans ses petits papiers. Riley allait-il revenir avant qu'ils aient le loisir de nous brûler ? C'est d'une voix calme que Diego a répondu :

— Un duel d'homme à homme te fait donc tellement peur ? Typique.

— Ce truc-là existe-t-il vraiment ? a ricané Raoul. À part au cinéma, s'entend. Pourquoi devrais-je m'embêter avec un combat singulier ? Il m'est égal de l'emporter sur toi. Je veux seulement en *finir* avec toi.

Je me suis tassée sur moi-même, prête à bondir. Raoul continuait à pérorer. Ce type adorait s'écouter parler.

— Te régler ton compte n'exigera pas que nous nous y mettions tous, et ces deux-là se chargeront de celle qui est susceptible de témoigner que tu as hélas survécu.

Mon corps s'est rigidifié, pareil à un bloc de glace. J'ai essayé de me dominer afin de pouvoir lutter de mon mieux. Non que cela ferait une quelconque différence.

Soudain, j'ai distingué autre chose, un truc complètement inattendu : une vague de dégoût si puissante que, incapable de rester à l'affût, je me suis écroulée par terre, haletant sous l'effet de l'horreur. Je n'ai pas été la seule à réagir ainsi. Des grognements écœurés me sont parvenus de tous les coins de la cave. Quelques personnes ont reculé, entrant dans mon champ de vision. Elles se sont plaquées contre les murs, le cou tendu comme pour échapper à l'atroce sensation de révulsion. Au moins l'une d'elles était un des acolytes de Raoul.

Ce dernier a lâché un grondement sonore, qui s'est estompé au fur et à mesure qu'il détalait dans l'escalier. Il n'a pas été le seul à fuir. La moitié des vampires présents s'est sauvée. Je n'ai pas eu cette chance, dans la mesure où je pouvais à peine bouger. Sûrement, ai-je deviné tout de suite après, parce que j'étais toute proche de Fred le Frappadingue. C'était lui le responsable de ce qui se produisait. Aussi mal sois-je, j'ai compris qu'il venait de me sauver la vie.

En quel honneur ?

Mon sentiment de répulsion s'est peu à peu évaporé. Dès que j'en ai été capable, j'ai rampé jusqu'au bout du canapé afin de jauger la situation. La bande de Raoul avait disparu. Diego, lui, était encore là, à l'autre extrémité de la vaste pièce, près des écrans de télévision. Ceux qui ne s'étaient pas carapatés se détendaient peu à peu. Tout le monde paraissait un peu ébranlé. La plupart jetaient des coups d'œil prudents à Fred. Je les ai imités, mais sa nuque ne m'a rien révélé, et je me suis empressée de détourner le regard. Observer Fred ravivait ma nausée.

— On se calme.

Les intonations graves émanaient de Fred. C'était la première fois que je l'entendais émettre un son. Tous les présents l'ont contemplé avec ahurissement avant de se concentrer sur autre chose, repris par des haut-le-cœur. Ainsi, Fred ne souhaitait qu'être tranquille. Ma foi, tant mieux. Ce n'était que grâce à cela que j'étais encore vivante. Avec un peu de chance, Raoul serait distrait avant l'aube par un nouvel agacement et passerait sa colère sur quelqu'un d'autre. Quant à Riley, il rentrait toujours à la fin de la nuit. Il apprendrait que Diego s'était réfugié dans sa grotte au lieu d'être détruit par le soleil, ce qui priverait Raoul d'excuse pour l'attaquer. Ou s'en prendre à moi.

En théorie du moins, et dans le meilleur des

scénarios. Entre-temps, Diego et moi parviendrions peut-être à mettre au point un plan qui nous permettrait d'éviter Raoul. De nouveau, j'ai été traversée par l'impression fugitive qu'une solution évidente m'échappait. Une voix m'a cependant empêchée de méditer dessus.

— Désolé.

Le marmonnement rauque, presque silencieux, ne pouvait provenir que de Fred. Apparemment, j'étais la seule assez près de lui pour l'avoir entendu. Était-il en train de me parler ? Je l'ai fixé et, cette fois, je n'ai éprouvé aucune répugnance. Il continuait de me tourner le dos, si bien que je ne distinguais pas son visage. Il avait d'épais cheveux blonds ondulés, ce que je n'avais encore jamais remarqué, malgré les innombrables journées passées dans son ombre. Riley disait vrai quand il affirmait que Fred était particulier. Révoltant, mais réellement spécial. Notre chef se doutait-il qu'il était aussi… puissant ? Après tout, il venait de réussir à dominer toute une pièce de vampires en l'espace d'une seconde.

Bien que je ne voie pas son expression, j'ai senti que Fred attendait une réponse.

— Euh, ne t'excuse pas, ai-je soufflé dans un murmure à peine audible. Et merci.

Il a haussé les épaules. Puis, derechef, il m'a été impossible de le regarder.

Les heures se sont écoulées, plus lentes que d'ordinaire. Je guettais le retour de Raoul. De temps en temps, j'essayais de poser mes yeux sur Fred, de franchir la barrière protectrice dont il s'entourait, mais j'étais systématiquement rejetée. Si j'insistais, j'étais secouée par une envie de vomir.

Songer à lui m'a permis de ne pas penser à Diego, ce qui était bien. Je feignais l'indifférence à sa présence dans le sous-sol. J'évitais de l'observer, lui prêtant attention plutôt en me concentrant sur le rythme unique de respiration. Assis à l'opposé de la salle par rapport à moi, il écoutait ses CD sur un ordinateur portable. À moins qu'il ne fasse semblant, comme moi avec les livres que j'avais tirés de mon sac à dos humide. Je les lisais vite, comme d'habitude, sauf que je n'en retenais rien. J'attendais Raoul.

Par bonheur, c'est Riley qui est revenu le premier. Raoul et ses sbires étaient juste derrière lui, moins bruyants et odieux que d'ordinaire, cependant. Fred leur avait peut-être inculqué à montrer un peu de respect. Quoique non, sans doute. Plus vraisemblablement, il les avait surtout mis en colère. Auquel cas, je lui souhaitais de ne jamais baisser sa garde.

Riley s'est tout de suite approché de Diego. Les yeux fixés sur mon bouquin, j'ai tendu l'oreille. À la périphérie de mon champ de vision, j'ai détecté quelques-uns des idiots de Raoul qui s'éparpillaient dans la pièce, cherchant leurs jeux préférés ou reprenant les activités auxquelles ils s'étaient adonnés avant que Fred ne les chasse. Kevin était parmi eux. Lui paraissait en quête de quelque chose de plus spécifique qu'un amusement. À plusieurs reprises, son regard s'est porté sur moi, mais l'aura de Fred le tenait à distance. Au bout de plusieurs minutes, il a laissé tomber, le teint verdâtre.

— J'ai appris que tu avais réussi à rentrer, a dit Riley, réellement content m'a-t-il semblé. Je peux toujours compter sur toi, Diego.

— Pas de souci, a répondu mon ami sur un ton plaisant. Enfin, à condition d'oublier que j'ai été obligé de retenir ma respiration toute la journée.

Riley s'est esclaffé.

— La prochaine fois, surveille mieux l'heure. Et donne un meilleur exemple aux bébés.

Diego a ri à l'unisson. Du coin de l'œil, j'ai eu l'impression que Kevin se détendait un peu lui aussi. S'était-il vraiment inquiété à l'idée que Diego lui crée des ennuis ? Si ça se trouve, Riley écoutait plus Diego que je ne l'avais imaginé. Je me suis demandé si c'était pour ça que Raoul avait été aussi agressif.

Mais, à la réflexion, était-ce une si bonne chose que Diego soit aussi proche du chef ? Riley était peut-être un type bien. Leur relation ne compromettait-elle pas la nôtre, cependant ?

Quand le soleil a été levé, le temps n'a pas filé aussi vite que durant la fin de la nuit. La cave était bondée, l'ambiance électrique, comme d'habitude. Si les vampires avaient été susceptibles de s'enrouer, Riley aurait perdu sa voix à force de hurler. Quelques mômes ont été temporairement démembrés, mais personne n'a été consumé. La musique le disputait aux bandes-son des jeux, et j'ai été heureuse de ne pas être sujette aux migraines. J'ai essayé de lire, en vain, me bornant à feuilleter mes livres les uns après les autres, distraite au point de ne pas pouvoir me concentrer sur les mots. J'ai fini par entasser les ouvrages en une pile bien rangée, à côté du divan, pour Fred. J'agissais toujours ainsi, même si je n'avais aucun moyen de savoir s'il les parcourait ou non. Je n'étais pas assez en mesure de l'observer pour déceler à quoi exactement il consacrait ses loisirs.

En tout cas, Raoul n'a pas tourné une seule fois la tête dans ma direction. Non plus que Kevin ou leurs comparses. Ma planque était aussi efficace que d'ordinaire. Il m'était impossible de vérifier si Diego était suffisamment malin pour m'ignorer, car moi, je m'appliquais à faire comme s'il n'existait pas. Personne ne soupçonnerait que nous formions une équipe, Fred mis à part, peut-être. Avait-il remarqué que je m'étais apprêtée à venir en aide à Diego lorsque la bagarre avait menacé ? Même si c'était le cas, je ne m'en souciais guère, de toute façon. Si Fred avait nourri des sentiments hostiles à mon égard, il ne serait pas intervenu et m'aurait laissée mourir. Sans aucun problème.

À l'heure du crépuscule, l'atmosphère est devenue encore plus bruyante. Si nous ne percevions rien de la lumière extérieure, dans la cave et avec les fenêtres du rez-de-chaussée obturées par mesure de sécurité, devoir patienter durant autant de journées interminables finissait par vous donner une idée assez juste du moment où l'une d'elles s'achevait. La bande a commencé à s'agiter, chacun insistant auprès de Riley pour obtenir la permission de partir en chasse.

— Tu es sortie hier, a-t-il rétorqué à Kristie sur un ton qui laissait deviner que sa patience avait des limites. Heather, Jim, Logan, vous pouvez y aller. Warren, accompagne-les, tes yeux sont noirs. Hé, Sara, je ne suis pas aveugle. Reviens ici !

Ceux qu'il contraignait à rester allaient bouder dans un coin. Certains guettaient l'instant où il s'absenterait pour filer en douce, en dépit des règles établies.

— Euh, Fred, a-t-il repris sans regarder dans notre direction, ce doit être ton tour, non ?

En soupirant, l'interpellé s'est levé. Tout le monde a reculé quand il s'est avancé au centre de la salle, Riley compris. Sauf que lui a étouffé un petit sourire. Il appréciait son vampire au surprenant pouvoir.

Fred disparu, j'ai eu l'impression de me retrouver toute nue. À présent, n'importe qui était en mesure de s'attarder sur ma présence. Tête baissée, je n'ai pas bronché, rassemblant toutes mes forces pour n'attirer l'attention de personne.

Heureusement pour moi, Riley était pressé. Il s'est à peine donné la peine de fusiller des yeux ceux qui, clairement, amorçaient un mouvement vers la porte, les a encore moins menacés tandis que lui-même s'en allait. En général, il nous régalait d'une des variantes de son discours sur la nécessité de garder profil bas. Cette nuit-là, nous y avons échappé, cependant. Il paraissait préoccupé, voire anxieux. J'étais prête à parier qu'il avait rendez-vous avec Elle. Ce qui a calmé mes ardeurs quant à mon envie de le renseigner, à l'aube.

J'ai attendu que Kristie et trois de ses complices habituels s'éclipsent pour me faufiler dans leur sillage, tâchant d'avoir l'air de faire partie de leur groupe sans pour autant les irriter. Je n'ai pas adressé un coup d'œil à Raoul ; ni à Diego. Tous mes efforts étaient consacrés à sembler dénuée d'importance, intéressante pour personne. Juste une femelle vampire des plus banales.

Une fois dehors, je me suis immédiatement éloignée de Kristie et me suis réfugiée dans les bois, espérant que Diego tiendrait assez à moi pour suivre ma trace. À mi-pente de la montagne la plus proche, je me suis perchée dans les branches supérieures d'un immense épicéa qui était isolé de ses voisins par plusieurs mètres. J'avais un assez bon champ de vision sur qui tenterait de me traquer.

Il s'est révélé que j'avais péché par excès de précaution. Pas seulement ce soir, toute la journée aussi, peut-être. Quoi qu'il en soit, seul Diego est venu à ma recherche. L'ayant aperçu de loin, je suis revenue sur mes pas, à sa rencontre.

— Un jour sans fin ! a-t-il soupiré en me donnant l'accolade. Ton plan n'est pas facile à respecter.

Je lui ai rendu son étreinte, émerveillée par le confort qu'elle me procurait.

— Je suis sûrement un peu parano.

— Navré pour Raoul. C'était à un cheveu.

— Quelle chance que Fred soit aussi répugnant, ai-je acquiescé.

— Je ne suis pas sûr que Riley ait conscience de sa puissance.

— J'en doute. C'est la première fois que je le voyais se comporter ainsi, malgré tout le temps où je suis restée collée à lui.

— Passons, c'est l'affaire de Fred le Frappadingue. Toi et moi avons notre propre secret à révéler à Riley.

— Je ne suis toujours pas convaincue que c'est une bonne idée, ai-je répondu avec un frisson.

— Mais nous avons besoin de jauger sa réaction, pour savoir.

— En règle générale, j'apprécie de savoir, c'est vrai.

Diego a plissé les yeux, songeur.

— Une aventure, ça te tente ?

— Faut voir.

— Eh bien, je pensais aux priorités de notre société secrète. En apprendre un maximum.

— Et… ?

— Je crois que nous aurions intérêt à suivre Riley. Pour découvrir ce qu'il fabrique.

Je l'ai regardé avec des yeux ronds.

— Tu oublies qu'il se rendra compte que nous sommes à ses trousses. Il détectera nos odeurs.

— En effet, a-t-il opiné. Sauf que j'ai trouvé un moyen de contourner la difficulté. Je flaire sa trace, et toi tu restes à une centaine de mètres derrière moi. Quand il s'apercevra que je le traque, je pourrais toujours lui raconter que c'est parce que j'ai des choses importantes à lui dire. C'est là que je me lancerai dans la grande révélation sur l'effet boule à facettes. Je verrai bien ce qu'il répond. Quant à toi, a-t-il ajouté en m'observant avec intensité, tu te bornes à la jouer tout en douceur pour l'instant, O.K. ? Je me débrouillerai pour te faire part de sa réaction.

— Et s'il revient plus tôt que d'habitude ? Tu voulais lui parler à l'approche de l'aube pour prouver tes assertions ?

— Tu as raison, ça risque de poser un problème.

Et d'influencer la tournure de notre conversation. Toutefois, je persiste à penser que ça vaut la peine de courir ce danger. Il m'a paru pressé, ce soir, pas à toi ? Comme s'il allait avoir besoin de toute la nuit pour régler ses affaires, quelles qu'elles soient.

— Peut-être. Ou alors, il avait juste hâte de *La* retrouver. Évitons de le surprendre quand Elle est dans les parages, non ?

Lui comme moi avons frémi à cette perspective.

— Oui, a-t-il reconnu en fronçant les sourcils. N'empêche… Tu n'as pas le sentiment que quelque chose se prépare ? J'ai l'impression que nous n'aurons pas toute la vie devant nous pour deviner ce que c'est.

— Je pense aussi, ai-je opiné, pas très enthousiaste.

— Par conséquent, fonçons. J'ai l'estime de Riley et une bonne raison de vouloir m'entretenir avec lui.

J'ai réfléchi à sa stratégie. J'avais beau ne le connaître que depuis une journée, je sentais que mon degré de paranoïa lui était complètement étranger.

— Ton plan un peu compliqué…

— Oui ?

— Il ressemble à un truc en solo et pas vraiment à une aventure à deux. Du moins quand on en vient au moment périlleux.

Sa grimace a trahi le fait que j'avais tapé juste.

— C'est mon idée, s'est-il défendu. C'est moi qui… moi qui fais confiance à Riley. (Le mot avait eu du mal à sortir, cependant.) Je suis le seul à être prêt à affronter sa colère si je me trompe.

Aussi froussarde que je puisse être, je n'ai pas gobé ses arguments.

— Les sociétés secrètes ne fonctionnent pas de cette manière, ai-je objecté.

— Très bien, a-t-il admis d'un air un peu ambigu. Nous y réfléchirons en chemin.

Je ne l'ai pas cru.

— Reste dans les arbres et suis-moi d'en haut, d'accord ? a-t-il enchaîné.

— D'accord.

Il est reparti vers le chalet à vive allure. Je l'ai filé à travers les feuilles. La frondaison était si dense que je n'avais que rarement besoin de sauter d'un perchoir à un autre. Je m'efforçais de me déplacer avec le plus de légèreté possible, espérant que l'inclinaison des branches sous mon poids serait mise sur le compte du vent. La brise qui soufflait m'y aiderait. J'ai noté qu'il faisait froid pour une nuit d'été, même si la température était le cadet de mes soucis.

À l'extérieur de la maison, Diego a repéré sans difficulté l'odeur de Riley et s'est rué dessus, tandis que je lui emboîtais le pas, me cantonnant à plusieurs mètres de distance et à une centaine de mètres plus au nord, plus haut sur les pentes que lui. Lorsque la forêt s'épaississait vraiment, il agitait un tronc pour que je ne perde pas sa trace.

Nous avons ainsi progressé, lui courant et moi jouant les écureuils volants, lorsque, à peine un quart d'heure plus tard, j'ai constaté qu'il ralentissait. On approchait sans doute. J'ai grimpé encore, cherchant un arbre qui m'offrirait un bon point de vue. J'en ai élu un qui dominait ses voisins. Après l'avoir escaladé, j'ai observé la scène.

À moins de deux kilomètres de moi une trouée dans les bois donnait sur une assez vaste prairie. Presque en son milieu, mais plus proche de la lisière est, s'élevait ce qui ressemblait à une maison en pain d'épice surdimensionnée. Peinte en blanc, en rose et en vert pétants, elle frôlait le ridicule, avec les ornements et les fleurons dont étaient chargées les moindres surfaces planes. Dans une situation plus détendue, elle aurait prêté à rire.

Riley avait beau être invisible, Diego s'était arrêté. J'en ai conclu que notre traque était terminée. Il s'agissait peut-être du foyer envisagé par notre chef pour remplacer le chalet quand ce dernier serait démoli. Toutefois, cet endroit était plus modeste que nos demeures précédentes et semblait dépourvu de cave. Enfin, il était encore plus éloigné de Seattle que notre dernier refuge.

Diego ayant levé la tête vers moi, je lui ai fait signe de me rejoindre. Acquiesçant, il est revenu sur ses pas avant d'effectuer un bond gigantesque – je me suis demandé si, aussi jeune et forte que je sois, j'aurais réussi à sauter aussi haut – et d'attraper une branche située à mi-hauteur du tronc le plus proche. Sauf à déployer une extrême vigilance olfactive, personne ne devinerait qu'il s'était détourné de son chemin. Cela ne l'a pas empêché de gambader de cime en cime afin de s'assurer que sa piste ne conduirait pas directement à la mienne.

Lorsqu'il a fini par décider qu'il était sans risque de m'approcher, il s'est aussitôt emparé de ma main. Sans un mot, j'ai désigné du menton la maison en pain d'épice. Un des coins de ses lèvres s'est retroussé. D'un même mouvement, nous avons entrepris de nous diriger vers l'est de l'habitation en restant dans la ramure. Nous nous sommes avancés au plus près, laissant quand même quelques arbres entre nous et notre objectif, puis nous nous sommes assis et avons tendu l'oreille.

Fort serviable, le vent a tourné, et nous sommes parvenus à saisir des sons. Une sorte de bruissement ainsi qu'un drôle de martèlement doux. D'abord, je n'ai pas identifié de quoi il retournait, mais Diego, avec un nouveau sourire, a tordu la bouche et mimé des baisers dans l'air.

Apparemment, les vampires n'émettaient pas les mêmes bruits que les humains quand ils s'embrassaient. Ils étaient dépourvus de ces tissus mous, charnus, remplis de liquides qui s'écrasaient les uns contre les autres. Ils avaient juste des lèvres de pierre, point barre. J'avais déjà entendu un baiser entre vampires, celui que Diego m'avait donné la nuit précédente, mais je n'aurais pas songé à faire le lien tant j'étais loin de me douter que c'est ce que nous trouverions ici.

Cette découverte a complètement chamboulé mon opinion. Je m'étais imaginé que Riley *la* voyait soit pour recevoir ses ordres soit pour ramener de nouvelles recrues, que sais-je ? Mais je n'aurais jamais envisagé de tomber sur une espèce de... petit nid d'amour. Comment arrivait-il à l'embrasser ? Frissonnant, j'ai jeté un coup d'œil à mon compagnon. Lui aussi avait l'air vaguement horrifié, même s'il s'est contenté de hausser les épaules.

Je me suis remémoré ma dernière nuit en tant qu'humaine, tressaillant au souvenir de la brûlure intense. Malgré le flou, j'ai essayé de me rappeler les moments qui avaient précédé l'incendie... D'abord la peur rampante qui s'était emparée de moi quand Riley s'était garé devant la maison obscure, anéantissant le sentiment de sécurité que j'avais éprouvé dans le fast-food brillamment éclairé. J'avais tergiversé, m'étais calée dans mon siège, et il avait saisi mon bras d'une poigne de fer pour me tirer de la voiture comme une poupée de chiffon. Une incrédulité mêlée de terreur m'avait submergée lorsqu'il avait fait un bond de dix mètres jusqu'à la porte. Une terreur mêlée de douleur avait dissipé cette incrédulité lorsqu'il m'avait cassé le bras en m'entraînant dans la baraque noire. Puis la voix avait retenti.

Concentrée sur ma mémoire, je l'ai de nouveau entendue. Haut perchée, chantante comme celle d'une fillette, mais grognonne – celle d'une enfant en plein caprice.

— Pourquoi as-tu pris la peine de la ramener, celle-là ? Elle est trop petite.

Si les mots n'étaient pas exacts, l'idée sous-entendue était bien celle-là. En revanche, je n'avais pas oublié combien Riley, dans sa réponse, avait eu envie de plaire et peur de décevoir.

— Au moins, c'est un autre corps. Une nouvelle distraction.

Il me semble que, à ce point, j'avais gémi, et qu'il m'avait douloureusement secouée, sans pour autant s'adresser à moi. J'avais cessé d'être une personne pour devenir un chien.

— Cette nuit a été un véritable gâchis, avait repris la voix puérile. Je les ai tous tués. Beurk !

À cet instant, la maison avait été ébranlée, comme si une voiture l'avait heurtée de plein fouet. Je comprenais à présent qu'Elle venait sans doute juste de décocher un coup de pied agacé dans quelque chose.

— Très bien, avait-Elle enchaîné. Même une crevette

vaut mieux que rien du tout, j'imagine, puisque c'est tout ce dont tu es capable. Et puis, je suis tellement rassasiée que je devrais arriver à m'arrêter.

Les doigts durs de Riley m'avaient alors lâchée, et je m'étais retrouvée seule avec la voix. J'étais désormais trop affolée pour émettre le moindre son. Bien que l'obscurité m'aveuglât totalement, j'avais fermé les yeux. Je ne m'étais mise à crier que lorsque quelque chose s'était enfoncé dans mon cou, me brûlant comme une lame trempée dans l'acide.

J'ai frémi à ce souvenir, me suis efforcée de repousser celui qui suivait en me focalisant sur la brève conversation qui venait de se dérouler. Elle n'avait pas eu l'air de parler à son amant, ni même à un ami. Plutôt à un employé, un serviteur qu'elle n'appréciait pas beaucoup et risquait de renvoyer très bientôt, qui plus est.

Pourtant, les étranges bruits de baisers entre vampires se poursuivaient dans la maison. Quelqu'un a poussé un soupir satisfait. J'ai regardé Diego en plissant le front. Cet échange ne nous apprenait rien. Combien de temps encore allions-nous devoir nous attarder ? Pourtant, il s'est borné à écouter avec attention, la tête penchée sur le côté. Au bout de quelques minutes supplémentaires de patience, la romance s'est soudain interrompue.

— Combien ?

Bien qu'assourdie par la distance, la voix était

reconnaissable. Aiguë, presque un pépiement, celle d'une enfant gâtée.

— Vingt-deux, a répondu Riley avec une fierté non dissimulée.

Diego et moi avons échangé un coup d'œil. Ainsi, nous – car ils parlaient forcément de nous – étions vingt-deux. Au dernier recensement du moins.

— Je croyais que le soleil m'en avait pris deux, a continué Riley, mais l'un de mes petits les plus âgés est... obéissant. (Il s'exprimait sur un ton presque affectueux quand il qualifiait Diego de « petit ».) Il avait un terrier. Il s'y est réfugié avec une des jeunettes.

— Tu en es sûr ?

Il y a eu un long silence, sans échange de baisers cette fois. Même d'aussi loin, j'ai perçu une sorte de tension.

— Oui. C'est un bon gars, j'en suis convaincu.

Nouveau silence pesant. La question qu'elle avait posée m'échappait. Pourquoi tester sa certitude ? Pensait-Elle qu'il tenait l'explication d'un autre et non de Diego ?

— Vingt-deux, ce n'est pas mal, a-t-Elle commenté, ce qui a allégé l'atmosphère. Comment se comportent-ils ? Certains ont presque un an. Leur attitude est-elle conforme à l'évolution normale ?

— Oui. Tes conseils ont fonctionné à merveille. Ils ne réfléchissent pas, ils agissent comme des robots.

J'arrive systématiquement à les distraire avec la soif. Elle les tient sous contrôle.

J'ai froncé les sourcils. Riley ne voulait pas que nous pensions. Pourquoi donc ?

— Tu as bien travaillé, a roucoulé notre créateur avant qu'un énième baiser ne résonne. Vingt-deux !

— Le moment est-il venu ? a demandé Riley avec empressement.

— Non ! s'est-Elle récriée avec autant de violence que si Elle assenait une gifle. Je n'ai pas encore décidé de l'heure.

— Je ne pige pas.

— C'est inutile. Sache seulement que nos adversaires sont très puissants. La plus extrême prudence s'impose.

Sa voix s'est radoucie, redevenant mielleuse, quand Elle a continué :

— Mais vingt-deux survivants, malgré ce dont nos ennemis sont capables… Ils seront désarmés devant un tel nombre.

Un rire cristallin a retenti.

Durant tout cet échange, Diego et moi ne nous étions pas quittés des yeux. Son regard indiquait maintenant qu'il nourrissait des pensées identiques aux miennes. Nous avions bien été fabriqués dans un but précis, comme nous l'avions subodoré. Nous avions un adversaire. Ou, plutôt, notre créateur en avait un. La distinction importait-elle, cependant ?

— Ah, fichues décisions ! a-t-Elle marmonné. Attendons un peu. Créons-en juste une poignée en plus, histoire d'assurer nos arrières.

— Si nous en rajoutons, notre nombre risque de diminuer, a objecté Riley avec prudence, l'air de ne pas vouloir La froisser. Chaque nouveau groupe amène son lot d'instabilité.

— C'est vrai, a-t-Elle admis.

J'ai imaginé Riley poussant un soupir de soulagement devant cet acquiescement.

Brusquement, Diego s'est détourné de moi pour fixer l'autre côté de la prairie. Je n'avais perçu aucun mouvement en provenance de la maison, ce qui ne signifiait pas qu'Elle n'en était pas sortie. Mon cou a pivoté dans la même direction, cependant que le reste de mon corps se statufiait, et j'ai découvert ce qu'avait repéré mon ami.

Quatre silhouettes traversaient le pré, vers la demeure. Elles étaient arrivées par l'ouest, à l'opposé de l'endroit où nous nous cachions. Toutes portaient de longs manteaux sombres à large capuche, si bien que j'ai d'abord cru à des humains. Certes bizarres, néanmoins humains, parce qu'aucun des vampires de ma connaissance ne s'affublait de vêtements gothiques pareillement assortis. Aucun non plus ne se déplaçait de façon aussi harmonieuse, contrôlée et… élégante. C'est alors que je me suis rendu compte que nul humain que j'avais croisé n'aurait eu cette démarche, aussi silencieuse qui plus est. Les Manteaux Gris survolaient les hautes herbes sans émettre un seul bruit. Par conséquent, c'étaient soit des vampires soit d'autres créatures surnaturelles. Des fantômes, peut-être. Dans le premier cas, je ne les connaissais pas, ce qui signifiait qu'ils pouvaient être ces ennemis qu'Elle avait évoqués. Par conséquent, il fallait que Diego et moi déguerpissions, rapidement et *tout de suite*, parce que nous n'avions pas nos vingt camarades avec nous.

J'ai failli décamper sur-le-champ. Seule la crainte d'attirer l'attention des silhouettes emmitouflées m'a retenue.

Remarquant de nouveaux détails au passage, je les ai observées avancer sans heurt. Ainsi, elles gardaient une formation en diamant impeccable qui ne déviait jamais malgré les incidents de terrain que leurs pieds rencontraient sûrement ; celle qui ouvrait la marche était bien plus petite que les autres, et son manteau plus sombre ; elles ne paraissaient pas humer leur chemin, n'essayaient pas de suivre une piste, savaient parfaitement où elles allaient. Si ça se trouve, elles avaient été invitées.

Elles se sont rendues droit à la maison, et je me suis mise à respirer avec plus d'aisance quand elles ont gravi en silence les marches du perron. Elles ne nous visaient pas, Diego et moi, ce qui était déjà quelque chose. Lorsqu'elles auraient disparu, nous pourrions filer dans les frondaisons à la faveur d'une rafale de vent, elles ne se douteraient jamais que nous avions été là.

Regardant Diego, j'ai légèrement incliné la tête en direction de l'endroit d'où nous étions venus. Plissant les paupières, il a dressé un doigt. Super ! Il voulait rester ! J'ai levé les yeux au ciel. Mon aptitude à réagir avec ironie m'a étonnée, dans la mesure où j'étais morte de frousse.

De nouveau, nous avons épié la maison. Les créatures en manteau y étaient entrées sans un bruit, et je me suis aperçue que ni Elle ni Riley n'avaient échangé un mot depuis que nous avions repéré les visiteurs. Ils étaient à l'affût, soit qu'ils aient entendu quelque chose, soit qu'ils se soient doutés, d'une façon ou d'une autre, qu'ils couraient un danger.

— Inutile, a soudain lâché une voix monotone et paresseuse, très claire.

Sans être aussi haut perchée que celle de notre créateur, j'ai déduit qu'elle appartenait à une fille.

— Je crois que vous savez qui nous sommes, a-t-elle enchaîné, et qu'il est par conséquent vain de tenter de nous surprendre. Ou de vous cacher. Ou de lutter. Ou de vous enfuir.

Un rire grave, masculin, qui n'appartenait pas à Riley, a résonné à travers les murs, menaçant.

— Du calme, a ordonné platement la première

voix, celle de la fille. Nous ne sommes pas venus vous détruire. Pas encore.

Ses intonations étaient tellement typiques que j'ai été désormais convaincue d'avoir affaire à des vampires, pas des fantômes ou tout autre monstre cauchemardesque. Quoi qu'il en soit, un silence a suivi cette déclaration, puis j'ai perçu des mouvements ténus. Quelqu'un changeait de position.

— Si vous n'êtes pas ici pour nous tuer, alors… que voulez-vous ? a piaillé notre créateur, l'air tendu.

— Nous cherchons à comprendre quelles sont vos intentions, a expliqué la meneuse. Et surtout, si elles impliquent… un certain clan local. Nous nous demandons si ses membres ont un rapport quelconque avec les remous que vous avez provoqués dans les parages. *Illégalement* provoqués.

Diego et moi avons sursauté comme un seul homme. Toute cette conversation était absurde, mais la dernière remarque était carrément bizarre. Qu'est-ce qui pouvait être illégal pour les vampires ? Quel flic, quel juge, quelle prison auraient pu avoir une quelconque emprise sur nous ?

— Oui, a-t-Elle sifflé. Mes plans sont *entièrement* liés à eux. Mais nous ne sommes pas en mesure d'agir maintenant. C'est compliqué.

Sa phrase s'était achevée sur une note de mauvaise humeur.

— Crois-moi, nous connaissons ces difficultés

mieux que toi. Que tu aies réussi à échapper aussi longtemps à notre radar, si je puis m'exprimer ainsi, est remarquable. Dis-moi, comment fais-tu pour garder profil bas ?

La monotonie du ton cachait mal un réel intérêt, cette fois. Notre créateur a hésité un instant avant de répondre avec précipitation, comme si Elle tentait d'endiguer quelque intimidation muette qui lui avait été adressée.

— Je n'ai pas encore décidé, a-t-Elle craché avant d'ajouter, plus lentement, presque réticente : D'attaquer, s'entend. Et il n'a jamais été dans mes intentions de *faire* quoi que ce soit de ceux que j'ai fabriqués.

— Brutal mais efficace, a commenté la visiteuse. Malheureusement, ton temps de délibération s'est écoulé. Tu dois choisir, et *maintenant*, de quelle façon tu agiras avec ta petite armée. (Le mot nous a amenés, Diego et moi, à écarquiller les yeux.) Sinon, il nous reviendra de te punir, comme l'exige la loi. Ce sursis qui t'est accordé, bien que court, m'étonne moi-même. Ce n'est pas dans nos habitudes. Je te conseille de nous fournir un maximum d'assurances… et vite.

— Nous allons foncer tout de suite ! s'est empressé d'annoncer un Riley anxieux.

Un feulement furieux a accueilli cette déclaration.

— Nous irons dès que possible, a rectifié notre

créateur, peu amène. Il reste encore beaucoup de travail. Je crois comprendre que vous souhaitez nous voir réussir, n'est-ce pas ? Dans ce cas, j'ai besoin d'un répit pour les entraîner, les instruire, les nourrir !

Un court silence s'est installé.

— Cinq jours, a ensuite décrété la fille. Nous reviendrons à ce moment-là. Tu n'auras aucun rocher derrière lequel te cacher, alors, et tu auras beau fuir à toute vitesse, tu ne nous échapperas pas. Si tu n'as pas attaqué d'ici là, nous te réduirons en cendres.

L'assurance absolue du ton suffisait à représenter une réelle menace.

— Et dans le cas contraire ? s'est-Elle enquise en tremblant.

— On verra, a répondu l'autre d'une voix plus enjouée. Je suppose que tout dépendra de ton succès. Applique-toi à nous plaire.

Cette ultime phrase avait été prononcée avec une dureté froide qui a déclenché un étrange frisson glacé au centre de mon corps.

— Entendu, a répliqué notre créateur.

— Entendu, a répété Riley dans un murmure.

La seconde d'après, les vampires inconnus quittaient la maison sans un bruit. Ni Diego ni moi n'avons osé respirer pendant les cinq minutes qui ont suivi leur disparition. À l'intérieur de la demeure, le silence était tout aussi éloquent. Une bonne dizaine de minutes encore se sont écoulées dans un calme figé.

J'ai effleuré le bras de Diego. Nous tenions l'occasion de partir. Maintenant, ce n'était plus de Riley que j'avais peur. Je voulais mettre autant de distance que possible entre moi et les Manteaux Gris. Je désirais retrouver la sécurité de la multitude qui nous attendait au chalet. J'avais d'ailleurs l'impression que notre créateur partageait ce sentiment, que c'était la raison pour laquelle elle nous avait fabriqués aussi nombreux dès le départ. Il existait au-delà de notre horizon limité des choses beaucoup plus effrayantes que je ne l'avais imaginé.

Diego a hésité, à l'affût. Un instant plus tard, sa patience a été récompensée.

— Eh bien, tu sais, à présent, a-t-Elle soufflé.

Était-ce une allusion aux Manteaux Gris ou au mystérieux clan ? Et lesquels étaient les adversaires qu'elle avait mentionnés avant l'intrusion dramatique des seconds ?

— Aucune importance. Nous les dépassons en nombre...

— Tout avertissement est *important*, l'a-t-Elle coupé en grondant. Il reste tant à faire, et nous n'avons que cinq jours. Ça suffit, les bêtises. Tu commences cette nuit.

— Tu peux compter sur moi, a-t-il promis.

Flûte ! Diego et moi avons bougé en même temps,

sautant de notre perchoir dans l'arbre voisin, repartant en volant vers les nôtres. Riley était pressé, maintenant, et s'il humait la piste de Diego après ce qui venait de se produire, mais sans trouver Diego au rendez-vous…

— Il faut que je retourne sur le chemin et que je l'attende, a murmuré ce dernier. Heureusement, c'est loin de la prairie. Je ne tiens pas à ce qu'il devine que je l'ai épié.

— Nous devrions lui parler ensemble.

— Il est trop tard pour ça. Il remarquerait que tu n'as pas laissé de trace sur le sentier, ce qui éveillerait ses soupçons.

— Diego…

Il m'avait piégée, en m'ordonnant de rester dans les arbres. Nous avions regagné l'endroit où il m'avait rejointe.

— Tiens-en-toi au plan, Bree, a-t-il chuchoté rapidement. Je vais lui parler de la lumière, comme prévu. L'aube est encore loin, mais tant pis. S'il ne me croit pas… (Il a haussé les épaules.) Il a de plus gros soucis à régler que mon imagination débridée. Si ça se trouve, il sera plus enclin à m'écouter, à présent. Apparemment, nous allons avoir besoin d'un maximum d'atouts, et pouvoir se déplacer en plein jour ne peut nuire.

— Diego, ai-je répété, désarmée.

Il a plongé ses yeux dans les miens, et j'ai guetté le

sourire qui lui venait si facilement, ou une blague à propos des Ninjas, des meilleurs amis du monde. Il s'est abstenu. À la place, sans détacher son regard du mien, il m'a embrassée. Ses lèvres lisses se sont collées aux miennes pendant une longue seconde tandis que nous étions rivés aux prunelles l'un de l'autre. Puis il a reculé avec un soupir.

— Rentre à la maison, cache-toi derrière Fred et comporte-toi comme si tu n'étais au courant de rien. Je te rejoins très vite.

— Sois prudent.

Attrapant sa main, je l'ai serrée fort. Riley avait mentionné Diego avec tendresse. Je n'avais plus qu'à prier pour que son affection soit authentique. Je n'avais pas d'autre choix.

Mon ami s'est volatilisé entre les arbres, aussi discret qu'une brise agitant les feuilles. Je n'ai pas perdu de temps à l'observer s'éloigner. Fonçant de branche en branche, j'ai filé droit au chalet. J'espérais que mes yeux auraient conservé la brillance engendrée par mon repas de la nuit précédente pour justifier mon absence. Juste une petite chasse rapide. De la chance, un randonneur isolé. Rien que de très ordinaire.

Le tambourinement assourdissant des basses qui a accueilli mon arrivée était nimbé de l'odeur de fumée douceâtre caractéristique d'un vampire en train de se consumer. Cela a renforcé mon sentiment de panique : la mort était partout, à l'intérieur comme à l'extérieur de la maison. Malheureusement, je devais faire avec. Sans ralentir, je me suis précipitée au bas de l'escalier, jusqu'à mon refuge. Fred le Frappadingue était debout, à peine visible dans la pénombre. Cherchait-il de quoi s'occuper ? En avait-il marre de rester assis ? Je n'avais pas la moindre idée de ses intentions et je m'en fichais royalement. Je lui collerais aux basques jusqu'au retour de Riley et de Diego.

Au milieu de la cave, s'élevait un tas fumant trop gros pour n'être qu'une jambe ou un bras. Dommage pour les vingt-deux pions sur lesquels avait compté Riley. Personne ne semblait particulièrement tracassé par les restes incendiés. C'était un spectacle bien trop courant.

Alors que je m'approchais vivement de Fred, mon dégoût, pour une fois, n'a pas augmenté. Au contraire, il s'est atténué. Lui n'a pas semblé remarquer ma présence, a continué de lire le livre qu'il tenait. L'un de ceux que je lui avais abandonnés quelques jours auparavant. Je n'avais plus aucune difficulté à distinguer ce à quoi il s'adonnait, maintenant que j'étais près de l'endroit où il s'appuyait au dossier du canapé. L'absence de répulsion m'a amenée à hésiter. Pouvait-il couper à volonté la nausée qu'il provoquait chez les autres ? Cela signifiait-il que lui comme moi n'étions plus protégés ? Dieu soit loué, Raoul n'était pas encore rentré. Kevin, si.

Pour la première fois de ma vie, j'avais le loisir d'observer à quoi ressemblait Fred. Grand, dans les un mètre quatre-vingt-huit, peut-être, avec ces épaisses boucles blondes que j'avais déjà remarquées. Large d'épaules et musculeux, il paraissait plus vieux que nous autres, l'air d'un étudiant plutôt que d'un lycéen. Et, c'est ce qui m'a le plus étonnée, il n'était pas vilain, curieusement. Aussi beau que n'importe qui, plus beau sans doute que la moyenne. J'ignore pourquoi cette découverte m'a tant déroutée. Sûrement parce que j'avais toujours associé Fred à la révulsion qu'il m'inspirait.

Je me suis sentie bizarre de le mater comme ça. J'ai vivement inspecté les alentours afin de voir si quelqu'un d'autre avait noté que Fred était pour le moment normal – et plaisant. Personne ne nous prêtait attention. J'ai jeté un coup d'œil à Kevin, prête à détourner la tête s'il s'en apercevait, mais il était concentré sur quelque chose qui se trouvait à gauche de l'endroit où nous nous tenions, Fred et moi. Il sourcillait. Avant que j'aie eu le temps de regarder ailleurs, ses prunelles ont glissé sur moi pour s'arrêter sur ma droite. Cette fois, il a plissé le front. Comme si… comme s'il essayait de me voir et n'y parvenait pas.

Un petit sourire s'est dessiné sur mes lèvres, mais j'avais trop de soucis pour rigoler franchement de la soudaine cécité de Kevin. Je me suis retournée vers Fred, me demandant si le phénomène de rejet allait reprendre, quand j'ai constaté qu'il souriait lui aussi. Il était vraiment fracassant, quand il souriait. Puis le moment de grâce est passé, et il s'est replongé dans son bouquin. Pendant un instant, je n'ai pas bronché, attendant qu'il se produise quelque chose. Que Diego franchisse la porte. Ou Riley et Diego. Ou Raoul. Que la nausée me submerge, que Kevin me toise, qu'une nouvelle bagarre éclate. Quelque chose, quoi.

Tout restant à l'identique, je me suis enfin ressaisie et j'ai fait ce que j'aurais dû faire depuis le début : prétendre que rien de particulier ne se déroulait. Je me suis emparée d'un volume sur la pile entassée aux pieds de Fred, me suis assise au même endroit et – pour la galerie seulement – me suis concentrée sur ma lecture. Il s'agissait sûrement d'un des ouvrages que j'avais fait semblant de lire la veille, même s'il m'a paru inconnu. Je l'ai feuilleté – toujours rien de familier.

Mon esprit tourbillonnait en petits cercles resserrés. Où était Diego ? Comment Riley avait-il réagi à sa révélation ? Que fallait-il comprendre de la conversation avant l'arrivée des Manteaux et de celle d'après ? J'y ai réfléchi, remontant le fil des événements tout en m'efforçant d'assembler les pièces en une image identifiable. Apparemment, le monde des vampires était doté d'une espèce de police dont les forces étaient très impressionnantes. Notre groupe de jeunots vieux d'un mois était censé constituer une armée, ce qui semblait illégal. Notre créateur avait un ennemi. Non, deux ennemis. Nous devions attaquer l'un d'eux d'ici cinq jours, sinon l'autre, le clan des Manteaux Gris, s'en prendrait à Elle, à nous… ou aux deux. Nous allions subir un entraînement afin de nous préparer à la bataille… dès le retour de Riley. J'ai jeté un coup d'œil vers la porte avant de m'obliger à regarder le livre ouvert devant moi. Il y avait aussi ce qui s'était passé avant l'arrivée des visiteurs. Une décision La tourmentait. Elle était contente d'avoir autant de vampires, de *soldats*. Riley était heureux que Diego et moi ayons survécu… Il avait confié ses craintes d'avoir encore perdu deux d'entre nous, ce qui signifiait qu'il devait ignorer la façon dont nous réagissions aux rayons du soleil. La question qu'Elle avait alors posée m'avait paru étrange, cependant. Elle lui avait demandé s'il était certain de ce qu'il avançait, s'il était sûr que Diego s'en était vraiment tiré… ou que Diego disait la vérité ?

Ce soupçon m'a effrayée. Savait-Elle déjà que le soleil ne nous faisait aucun mal ? Si oui, pourquoi avait-Elle menti à Riley et, à travers lui, à nous ? Était-il tellement important pour Elle de nous cantonner – littéralement – dans l'obscurité ? Suffisamment important pour attirer des ennuis à Diego ? J'étais en train de m'affoler à force de gamberger comme ça. Si j'avais encore été capable de transpirer, j'aurais été trempée de sueur. J'ai été obligée de me focaliser sur mon livre pour en tourner la page et garder les yeux baissés.

Riley était-il réellement ignorant ou dans le coup avec Elle ? Quand il avait avoué sa peur de nous avoir perdus, était-ce une allusion au soleil ou à notre mensonge à ce sujet ? Si la deuxième option l'emportait, il fallait en conclure que connaître la vérité impliquait la mort. De nouveau, la panique a paralysé mon cerveau.

J'ai essayé de rester rationnelle, de donner un sens à tout cela. Sans Diego, ça m'était plus difficile. Parler à quelqu'un, réagir à ses remarques aiguisait mes capacités de concentration. Quand j'en étais privée, la peur grignotait les bords de mes pensées déjà déformées par la soif omniprésente. Le désir de sang affleurait constamment à la surface, y compris maintenant que je m'étais nourrie – j'en éprouvais la brûlure et le besoin.

« Pense à elle, pense à Riley ! » me suis-je exhortée. Il fallait que je saisisse pourquoi ils nous avaient menti, si c'était bien le cas, de manière à envisager leur réaction quand ils découvriraient que Diego avait éventé leur secret. Nous auraient-ils dit la vérité, à savoir que le jour n'était pas plus dangereux pour nous que la nuit, qu'est-ce que ça aurait changé ? J'ai tenté de me représenter la situation si nous n'avions pas été confinés dans des sous-sols sombres durant la journée, si les vingt et un que nous étions, peut-être moins à présent selon que les chasseurs en goguette se seraient entendus ou disputés, avions été libres d'agir à notre guise quand bon nous aurait semblé.

Nous n'aurions voulu que chasser. C'était une évidence.

Si nous n'avions pas été contraints de revenir, de nous cacher… il était clair que nombre d'entre nous ne seraient pas rentrés régulièrement. Il nous était très difficile de nous y résoudre tant que la soif nous dominait. Mais Riley nous avait martelé avec tant de conviction que nous risquions d'éprouver la brûlure atroce expérimentée lors de notre transformation, que nous parvenions à nous arrêter. Seul notre instinct de préservation l'emportait sur notre soif dévorante.

La menace servait donc à maintenir la cohésion de la horde. Certes, il existait d'autres cachettes, comme la grotte de Diego, mais qui se souciait de ce genre de choses ? Disposant d'un endroit où nous réfugier, d'une base, nous la regagnions sans barguigner. La réflexion n'était pas le fort des vampires. Des *jeunes* vampires, du moins. Riley, lui, était lucide. Diego aussi, plus que moi d'ailleurs. Ces fameux Manteaux Gris avaient démontré des capacités de synthèse proprement terrifiantes. J'en ai frémi. Néanmoins, nous ne nous soumettrions pas toujours à cette discipline. Que pourraient-ils faire lorsque nous serions plus âgés, plus aptes à l'exercice de notre intelligence ? Soudain, j'ai été frappée par l'idée que personne, dans notre bande, n'était plus vieux que Riley. Nous étions tous des jeunots. Elle avait besoin de nous pour lutter contre son mystérieux adversaire. Qu'adviendrait-il de nous après, cependant ?

J'ai tout à coup eu le fort pressentiment que je n'aurais pas envie d'être dans le coin à ce moment-là. Alors, j'ai pris conscience d'une chose à l'évidence pourtant prodigieuse. C'était elle qui m'avait titillé l'esprit pendant que, en compagnie de Diego, j'avais traqué notre bande jusqu'ici : ma présence dans les parages n'était pas indispensable. Rien ne m'obligeait à rester ici une nuit de plus.

Une fois encore, je me suis pétrifiée, terrassée par cette révélation incroyable.

Si Diego et moi n'avions su où le groupe était susceptible de se replier, les aurions-nous trouvés ? Sans doute pas. Or, il s'agissait d'une meute importante qui laissait des traces derrière elle. En aurait-il été autrement avec un seul vampire capable de sauter à terre ou de grimper dans un arbre pour brouiller sa piste ? Rien qu'un, deux peut-être, en mesure de nager aussi loin qu'ils le voulaient… d'aborder n'importe où… le Canada, la Californie, le Chili, la Chine… Personne ne les retrouverait jamais. Ils se volatiliseraient. Ils disparaîtraient, comme s'ils étaient partis en fumée.

Nous aurions pu ne pas revenir cette nuit-là ! Nous aurions *dû* ne pas revenir ! Pourquoi n'y avais-je pas songé plus tôt ?

Mais… Diego aurait-il été d'accord ? Je n'étais plus aussi sûre de moi, soudain. Envers qui était-il le plus loyal, après tout ? Riley ou moi ? Aurait-il considéré qu'il relevait de sa responsabilité de soutenir notre chef ? Il le connaissait depuis longtemps, moi, seulement depuis une journée. Était-il plus proche de lui que de moi ? Le front plissé, j'ai médité cette question.

Ma foi, je le découvrirais dès que nous aurions une minute seul à seule. Et alors, si notre société secrète avait une quelconque importance, ce que notre créateur avait prévu pour nous serait égal. Nous pourrions disparaître, et Riley serait obligé de se débrouiller avec dix-neuf vampires ou d'en fabriquer de nouveaux, et vite. Quoi qu'il en soit, ce ne serait plus notre problème.

J'avais hâte de me confier à Diego. Mon instinct me disait qu'il serait sur la même longueur d'onde que moi. Avec un peu de chance, s'entend.

Brusquement, je me suis demandé si tel avait été le destin de Shelly et de Steve, ainsi que de ceux qui n'étaient jamais revenus. On m'avait raconté qu'ils avaient été dévorés par le soleil. Riley n'avait-il affirmé avoir vu leurs cendres que pour nous maintenir dans la crainte, la dépendance ? Pour que nous le rejoignions tous les matins à la maison ? Si ça se trouve, Shelly et Steve avaient juste décidé de partir de leur côté. Plus de Raoul. Pas d'ennemis ou d'armées susceptibles de menacer leur avenir immédiat.

C'était peut-être ce que voulait dire Riley quand il en parlait comme de « pertes » alors qu'il s'agissait de fugues ? Par conséquent, il serait content que Diego et moi n'ayons pas pris la fuite, non ? Si seulement nous l'avions fait, d'ailleurs ! Nous aurions été libres nous aussi, à l'instar de Shelly et de Steve. Pas de règles, pas de peur que le soleil se lève.

Une fois encore, j'ai imaginé notre horde lâchée dans la nature sans couvre-feu. Je nous ai vus, Diego et moi, nous déplaçant dans l'ombre, pareils à des Ninjas. Mais j'ai également vu Raoul, Kevin et les autres, monstres étincelants comme des boules à facettes au milieu d'une rue animée du centre-ville, les cadavres s'entassant, les hurlements, les ronflements des hélicoptères, les flics impuissants avec leurs mignonnes petites balles incapables de nous entamer, les caméras, la panique qui gagnerait à toute berzingue au fur et à mesure que les images rebondiraient comme l'éclair sur tous les écrans du globe. Dans ce cas, les vampires ne réussiraient pas à rester secrets très longtemps. Même Raoul ne pouvait tuer les gens assez vite pour empêcher l'histoire de se répandre.

Mon raisonnement était logique, et je me suis dépêchée de m'y accrocher pour éviter de me disperser de nouveau.

Un, les humains ignoraient tout des vampires. Deux, Riley nous incitait à la discrétion afin de ne pas attirer leur attention, de ne pas les dessiller. Trois, Diego et moi en avions conclu que tous les vampires devaient se conformer à cette règle, sous peine que le monde découvre notre existence. Quatre, l'établissement de cette règle avait sûrement une bonne raison d'être, et ce n'était pas les flingues aussi ridicules que des jouets des policiers qui l'avaient motivée. Oui, l'objectif était certainement de la plus haute importance pour nous amener à nous planquer dans des caves étouffantes toute la sainte journée ; il justifiait que Riley et notre créateur nous mentent, nous terrifient à coups de contes sur le soleil exterminateur. Riley l'expliquerait peut-être à Diego qui, conscient de la nécessité du secret et parce qu'il se comportait de façon responsable, promettrait de le garder. Sur ce, ils se sépareraient bons amis. Aucun doute. N'empêche… et si Shelly et Steve avaient découvert que notre peau brillait au soleil et décidé de ne pas fuir ? S'ils étaient allés trouver Riley et que… ?

Flûte ! Telle était l'étape suivante de mon raisonnement logique. Une fois encore, j'ai perdu le fil de mes pensées pour céder à l'affolement.

Tout en m'inquiétant pour Diego, je me suis rendu

116

compte que je m'étais perdue dans mes réflexions un bon moment. L'aube pointait, le jour se lèverait dans une heure environ. Où était Diego ? Et Riley ?

À cet instant, Raoul a dévalé les marches avec ses potes. Tous étaient hilares. Je me suis voûtée, collée à Fred. Raoul ne nous a pas remarqués. Il a contemplé le vampire fricassé au milieu du plancher et a ri encore plus fort. Ses prunelles étaient rouge vif. Les nuits où il chassait, il ne rentrait pas avant d'y être contraint. Il se nourrissait le plus longtemps possible. L'aurore était donc plus proche que je ne le pensais.

Riley avait sûrement exigé de Diego qu'il prouve ses dires. C'était la seule explication à leur retard. Ils devaient attendre le jour. Sauf que… cela signifiait forcément que Riley n'était pas au courant, pour le soleil. Que notre créateur lui avait menti à lui aussi. Mais était-ce concevable ? Derechef, mes pensées se sont embrouillées.

Kristie a fait son apparition quelques minutes plus tard, en compagnie de trois camarades. Le tas de cendres l'a laissée indifférente. Deux autres vampires ont déboulé à sa suite, et un rapide calcul mental m'a amenée à compter vingt personnes. Tout le monde était à la maison, excepté Diego et Riley. Le soleil allait surgir d'un moment à l'autre.

Les gonds de la porte d'entrée, au rez-de-chaussée, ont grincé, et j'ai bondi sur mes pieds. Le battant a claqué, quelqu'un a descendu l'escalier.

Riley.

Seul.

Avant que j'aie pu analyser la situation, notre chef a poussé un cri de rage bestial. Il fixait les restes fumants sur le sol, les yeux exorbités sous l'emprise de la fureur. Tout le monde s'est figé, silencieux. Nous avions déjà assisté à une crise de colère de Riley, mais là, c'était différent.

Il s'est rué sur une baffle qui braillait et l'a déchiquetée à mains nues avant de l'arracher du mur et de la balancer à travers la pièce. Jen et Kristie se sont baissées pour éviter de la prendre en pleine figure, et elle est allée se fracasser contre le mur opposé en provoquant une gerbe de poussière de plâtre. Riley a ensuite piétiné la chaîne hi-fi, et les basses se sont tues. Puis il a foncé sur Raoul et l'a saisi à la gorge.

— Je n'étais même pas là ! a piaillé le gros dur.

Il avait l'air effrayé, ce qui était une première. Avec un grognement hideux, Riley l'a repoussé comme il avait jeté la baffle. Derechef, Jen et Kristie se sont écartées d'un bond, cependant que le corps de Raoul s'écrasait contre le mur en y laissant un trou énorme. Attrapant alors Kevin par l'épaule droite, Riley lui a arraché la main dans un bruit de déchirure familier. Poussant un cri de douleur, Kevin a tenté de se dégager, mais Riley lui a décoché un coup de pied dans le flanc. Un second feulement a retenti, et il a brandi le reste du bras de sa victime. Il l'a cassé en deux au niveau du coude et, à l'aide des morceaux, a giflé le visage anxieux de Kevin – vlan ! vlan ! vlan ! On aurait dit un marteau abattu sur une pierre.

— Qu'est-ce que vous avez tous, bon Dieu ? a braillé Riley. Vous êtes complètement *tarés* ou quoi ?

Il a voulu s'emparer du blond fan de Spiderman, mais celui-ci a esquivé l'attaque d'un saut. Son mouvement l'a amené tout près de Fred, et il a reculé en vacillant, pris de nausée.

— Il n'y en a donc *pas un* parmi vous qui ait un brin de cervelle ? a continué de s'époumoner Riley.

Il a projeté un môme appelé Dean dans le meuble télé, qui s'est brisé en mille morceaux, a chopé Sara, lui a arraché une oreille et une poignée de cheveux. Elle a poussé un cri de douleur.

Il est devenu soudain évident que Riley jouait un jeu dangereux. Il était seul, nous étions nombreux. Déjà, Raoul se rapprochait, secondé par Jen et par Kristie, ses ennemies d'ordinaire. D'autres formaient de petits groupes autour de la salle. J'ignorais si Riley était conscient de la menace ou si sa crise allait se terminer naturellement. Il a pris une profonde inspiration. Il a balancé à Sara son oreille et ses cheveux, elle a reculé, léchant la partie arrachée de son oreille, l'enduisant de venin afin de la recoller. Pour les cheveux cependant, il n'y avait pas de solution, et elle garderait une plaque chauve sur la tête.

— Écoutez-moi ! a ordonné Riley d'une voix calme mais féroce. Nos vies à tous vont dépendre de votre attention à ce que je vais vous dire maintenant et de votre aptitude à réfléchir ! Si vous êtes incapables de vous comporter comme des êtres pensants, ne serait-ce que pendant quelques jours, nous *mourrons* tous. Vous, moi, *tous*.

Cela ne ressemblait en rien à ses laïus habituels ou à ses demandes pour que nous apprenions à nous contrôler. Pour le coup, il avait capté notre attention.

— Il est temps que vous grandissiez et que vous deveniez responsables de vous-mêmes. Vous croyiez donc que vous alliez pouvoir vivre comme ça sans rien donner en échange ? Que tout le sang de Seattle n'avait pas de *prix* ?

Plus personne n'avait l'air méchant, à présent. On écarquillait les yeux, on échangeait des regards perplexes. À la limite de mon champ de vision, j'ai vu que Fred tournait la tête vers moi, mais je n'ai pas réagi. Mon attention était entièrement concentrée sur deux choses : Riley, des fois qu'il reparte à l'attaque, et la porte. La porte s'entêtait à rester fermée.

— Alors, êtes-vous prêts à m'écouter ? À m'écouter vraiment ?

Si Riley s'est interrompu, personne n'a acquiescé. Un silence de mort régnait sur le sous-sol.

— Laissez-moi vous exposer dans quelle situation

périlleuse nous nous trouvons, a-t-il repris. Je vais essayer de m'exprimer simplement pour les plus débiles d'entre vous. Raoul, Kristie, approchez !

Il a fait un signe à l'adresse des chefaillons des deux bandes les plus puissantes qui, l'espace d'un instant, s'étaient alliés contre lui. Ni l'un ni l'autre n'a obéi. Au contraire, ils se sont raidis, et Kristie a montré les dents. Je m'attendais à ce que Riley s'adoucisse, à ce qu'il s'excuse, à ce qu'il les calme puis les persuade de ce qu'il voulait. Sauf qu'il avait changé, apparemment.

— Très bien, a-t-il aboyé. Nous allons avoir besoin de capitaines, si nous tenons à survivre. Visiblement, vous deux refusez ce rôle. Je vous croyais à la hauteur, je me suis trompé. Kevin et Jen, vous m'aiderez à diriger notre groupe.

Kevin a relevé la tête, surpris. Il venait juste de rafistoler son bras et de le remettre en place. Bien que soucieux, il semblait également flatté, c'était clair. Lentement, il s'est redressé. Jen a regardé Kristie, comme si elle attendait la permission d'avancer. Raoul a grincé des dents.

La porte ne s'ouvrait toujours pas.

— Êtes-vous des incapables vous aussi ? s'est emporté Riley.

Kevin a fait un pas vers lui, mais Raoul l'a précédé, franchissant la pièce en deux bonds. Sans un mot, il a repoussé son acolyte contre le mur et s'est posté à droite de Riley. Ce dernier s'est autorisé un petit sourire. Si la manipulation avait manqué de subtilité, elle s'était révélée efficace.

— Kristie, Jen ? Laquelle de vous deux sera-t-elle une meneuse ? a-t-il demandé, une once d'amusement dans la voix.

Jen guettait encore un signe de Kristie. Celle-ci l'a toisée pendant un instant, puis a rejeté ses cheveux blonds en arrière et a filé se planter de l'autre côté de Riley.

— Vous avez mis du temps à vous décider, a décrété ce dernier avec gravité. Trop de temps. Nous n'avons pas ce luxe. L'heure n'est plus au divertissement. Jusqu'à maintenant, je vous ai plus ou moins laissé la bride sur le cou. Ce soir, c'est fini.

Il a inspecté la salle, fixant chacun tour à tour, s'assurant qu'on l'écoutait. Je n'ai soutenu son regard qu'une seconde avant de lancer un énième coup d'œil vers la porte. Je me suis aussitôt reprise, mais il était déjà passé à quelqu'un d'autre. Je me suis demandé s'il avait remarqué mon mouvement. M'avait-il seulement vue, cependant, blottie près de Fred ?

— Nous avons un ennemi extérieur, a-t-il alors annoncé.

Il s'est tu, afin que la nouvelle pénètre l'esprit de chacun. J'ai deviné que le but était de choquer. L'ennemi, d'ordinaire, c'était Raoul ou, quand vous étiez de sa bande, Kristie. L'ennemi était ici, parce que notre univers entier était ici. L'idée qu'il y ait d'autres forces assez puissantes pour nous affecter était neuve pour la plupart d'entre nous. Hier encore, elle l'aurait été pour moi aussi.

— Quelques-uns d'entre vous auront été peut-être assez malins pour se rendre compte que, puisque nous existons, d'autres vampires existent également. Des vampires beaucoup plus âgés, plus intelligents… plus talentueux que nous. D'autres vampires qui *veulent nous voler notre sang* !

Raoul a lâché un sifflement vipérin, aussitôt repris par plusieurs de ses sbires.

— Eh oui, a enchaîné Riley, visiblement désireux de les encourager dans cette voie. Seattle leur appartenait, autrefois. Ils en sont partis il y a longtemps. Cependant, aujourd'hui, ils sont conscients de notre présence et nous jalousent les proies faciles qui étaient à leur disposition auparavant. Ils savent qu'elles nous appartiennent et aspirent à nous les reprendre. Ils n'hésiteront pas à venir chercher ce qu'ils estiment être à eux. Ils nous traqueront l'un après l'autre ! Ils nous immoleront puis se gaveront !

— Jamais ! a grondé Kristie.

Ses fidèles, de même que ceux de Raoul, ont grogné à l'unisson.

— Nous n'avons pas trente-six solutions, a

continué Riley. Si nous attendons qu'ils se pointent, ils auront l'avantage. Après tout, c'est leur territoire ancestral. Par ailleurs, ils éviteront une confrontation directe, parce que nous sommes plus nombreux et plus forts qu'eux. Ils s'efforceront de nous attaquer séparément, profitant de notre plus grande faiblesse. L'un de vous est-il assez futé pour me dire laquelle ?

Du doigt, il a désigné à ses pieds les cendres qui avaient si bien imprégné la moquette qu'il était impossible d'identifier maintenant une silhouette. Il a patienté. Personne n'a bronché.

— Nos querelles intestines ! a-t-il clamé avec un reniflement dégoûté. Nous sommes désunis ! Quelle menace sommes-nous en mesure de représenter quand nous ne sommes pas fichus de cesser de nous chamailler ? (Il a donné un coup de pied à la petite pile, provoquant un nuage noir.) Imaginez-les en train de se moquer de nous ! Ils croient que nous ravir la ville sera tâche aisée. Que notre bêtise nous affaiblit. Que nous leur remettrons de nous-mêmes le sang qui est à nous de droit !

Cette fois, la moitié de la pièce a protesté avec force feulements.

— Alors, saurez-vous collaborer ou sommes-nous tous condamnés à périr ?

— On va se les choper, boss ! a grommelé Raoul.

— Pas si vous êtes incapables de vous contrôler,

a riposté Riley, sévère. Pas si vous n'arrivez pas à coopérer avec n'importe laquelle des personnes ici présentes. Tout vampire que vous aurez éliminé (de nouveau, il a tripoté les cendres du pied) vous aurait, peut-être, sauvé la vie. Dès que vous tuerez un membre de notre sabbat, vous ferez un cadeau à l'ennemi. « Allez-y, leur direz-vous, massacrez-moi ! »

Kristie et Raoul ont échangé un regard comme s'ils se voyaient pour la première fois. D'autres les ont imités. Le mot sabbat ne nous était pas totalement inconnu, mais nul n'avait songé à l'appliquer à notre communauté. Or, nous formions bel et bien une horde qui, la nuit, s'adonnait à de sanglants sabbats.

— Permettez-moi de vous décrire nos adversaires, est reparti Riley, captivant aussitôt l'assemblée. Leur clan est beaucoup plus ancien que le nôtre. Ils existent depuis des centaines d'années, et ce n'est pas pour rien s'ils ont survécu aussi longtemps. Ils sont rusés, doués et s'apprêtent à nous faucher Seattle avec une confiance absolue, parce qu'ils ont eu vent de rumeurs affirmant qu'ils n'auront à lutter que contre une bande d'enfants désorganisés qui feront la moitié du boulot à leur place !

De nouveaux grognements ont résonné, moins furieux qu'anxieux, cependant. Quelques-uns des vampires les plus calmes, ceux que notre chef aurait qualifiés de « dociles », ont semblé nerveux. Riley n'a pas manqué de s'en apercevoir.

— C'est ainsi qu'ils nous considèrent, a-t-il ajouté, mais seulement parce qu'ils ne nous envisagent pas *ensemble*. Unis, nous les *écraserons*. S'ils pouvaient nous voir côte à côte, nous battant comme un seul homme, ils seraient terrifiés. Et c'est ce que nous allons leur donner. Parce qu'il est hors de question que nous attendions qu'ils montrent le bout de leur nez ici et se mettent à nous éliminer un à un. Nous allons leur tendre une embuscade. Dans quatre jours.

Quatre ? Ainsi, notre créateur préférait ne pas attendre jusqu'à la dernière minute. Une fois de plus, j'ai regardé la porte. Où était Diego ? Dans la cave, mes compagnons réagissaient à l'annonce du délai, certains sans dissimuler leur peur.

— Ils se seront préparés à tout sauf à ça, s'est justifié Riley. À nous tous, ensemble, à l'affût. Et figurez-vous que j'ai gardé le meilleur pour la fin. Ils ne sont que *sept* !

Un silence incrédule a accueilli la nouvelle.

— Quoi ? a ensuite lancé Raoul.

Kristie a contemplé notre chef avec une stupeur identique, et des marmonnements ont retenti dans tout le sous-sol.

— Sept ?

— Tu plaisantes ?

— Hé ! a beuglé Riley. J'étais sérieux quand je vous ai dit que ce clan était dangereux. Ils sont astucieux…

sournois. Et peu nombreux. La force de frappe sera dans notre camp, la supercherie dans le leur. Si nous jouons selon leurs règles, ils gagneront. Si, au contraire, nous leur imposons notre tactique…

Il n'a pas pris la peine de poursuivre, se bornant à sourire.

— Allons-y maintenant ! a décrété Raoul.

— Rayons-les de la carte tout de suite ! a renchéri Kevin, enthousiaste.

— Du calme, crétin ! l'a calmé Riley. Nous précipiter à l'aveuglette ne nous aidera en rien.

— Dis-nous tout ce que nous avons besoin de savoir sur eux, a demandé Kristie en jetant un coup d'œil dédaigneux à Raoul.

Riley a hésité, comme s'il réfléchissait à la meilleure façon de s'exprimer.

— D'accord, a-t-il fini par marmonner. Par où commencer ? J'imagine que la première chose qu'il vous faut apprendre, c'est que… vous ignorez bien des choses au sujet des vampires. Je ne tiens pas à vous submerger dès le début.

Il a marqué une nouvelle pause, pendant laquelle l'assistance a semblé médusée.

— Vous avez cependant eu un aperçu de ce que nous appelons les dons vampiriques. Grâce à Fred.

Tout le monde s'est tourné – ou, du moins, a essayé de se tourner – vers l'intéressé. Rien qu'à l'expression de Riley, j'ai deviné que Fred n'appréciait pas qu'on le mette ainsi en avant et qu'il avait poussé à fond le volume de son « don ». En tressaillant, notre chef s'est empressé de regarder ailleurs. Moi, je n'éprouvais toujours rien.

— Bien, hum… donc, certains vampires sont dotés de talents qui dépassent largement notre extraordinaire puissance physique et nos sens particulièrement affûtés. Vous en avez vu un aspect chez… au sein de notre clan. (Il a évité de prononcer le nom de Fred, cette fois.) Le phénomène est rare, il touche un vampire sur cinquante, peut-être, et chaque don est unique. Il en existe toute une variété, d'aucuns plus efficaces que d'autres.

Un murmure s'est répandu dans la cave, tandis que les gens s'interrogeaient sur leur don éventuel. Raoul se pavanait comme s'il savait en posséder un. Pour autant que je puisse en juger, le seul ici à avoir quelque chose de spécial se tenait à côté de moi.

— Soyez attentifs ! a ordonné Riley. Je ne vous raconte pas ça pour vous divertir.

— Les membres de ce clan ennemi, est intervenue Kristie, ils ont des dons, hein ?

— Oui, a acquiescé Riley, approbateur. Je suis heureux de constater que quelqu'un au moins est capable de déduction.

La lèvre supérieure de Raoul s'est relevée, dévoilant ses crocs.

— Ils sont dangereusement talentueux, en effet, a repris Riley en baissant la voix jusqu'à chuchoter. Par exemple, ils comptent dans leurs rangs un vampire à même de déchiffrer les pensées d'autrui.

Il a examiné nos traits, cherchant à déceler qui pigeait l'importance de sa révélation. Ce qu'il a vu n'a pas dû lui plaire, car il a insisté :

— Réfléchissez un peu, les enfants ! Cela signifie que ce vampire devinera tout ce qui traversera vos esprits. En cas de bagarre, il saura *avant* vous quel sera votre prochain mouvement. Mettons que vous alliez sur la gauche, il vous y attendra déjà.

Un silence tendu s'est abattu sur l'assemblée, chacun tentant d'imaginer la scène et ses conséquences.

— Voilà ce qui explique notre prudence, à moi et à Celle qui vous a créés.

Cette dernière mention a poussé Kristie à reculer en frémissant. Quant à Raoul, il a paru plus furieux que jamais. Les nerfs de tout le monde étaient à vif.

— Vous ignorez Son nom et à quoi Elle ressemble. C'est une mesure de protection. Si l'un de nos adversaires vous tombait dessus alors que vous êtes isolé, il est envisageable qu'il ne décèle pas votre relation avec Elle et, par conséquent, vous laisse tranquille. Si, au contraire, nos ennemis apprenaient que vous appartenez à Son clan, ils vous exécuteraient aussitôt.

Cet argument n'avait aucun sens à mes yeux. En effet, le secret ne La protégeait-il pas plus que nous ? Riley s'est dépêché de continuer avant que nous ayons le temps d'analyser plus avant la question.

— Il va de soi que cela n'a plus vraiment d'importance maintenant qu'ils ont décidé de revenir à Seattle. Nous les prendrons par surprise en chemin et les annihilerons. (Il a sifflé tout bas entre ses dents.) Après, la ville sera toute à nous, car les autres clans sauront qu'ils n'ont pas intérêt à nous chercher des ennuis. Nous n'aurons plus besoin de dissimuler nos traces avec autant de soin. Chacun d'entre vous aura droit à autant de sang qu'il le désire. La chasse sera ouverte chaque nuit. Nous nous installerons au cœur de la ville et nous y *régnerons*.

Les grognements et les feulements ont résonné comme des applaudissements. Tout le groupe était derrière Riley. Sauf moi. Je n'ai pas bougé, je n'ai pas émis un son. Fred non plus, mais le diable aurait pu dire pourquoi.

Si je ne soutenais pas Riley, c'est parce que ses promesses avaient la saveur du mensonge. Ou alors, mon propre cheminement logique était erroné. Riley prétendait que seuls ces ennemis nous empêchaient de chasser sans précaution ni retenue à Seattle. Cela ne collait pas avec le fait que tous les autres vampires avaient dû se montrer discrets depuis belle lurette, sous peine que les humains découvrent leur existence.

Malheureusement, j'avais du mal à réfléchir, parce que la porte au sommet des marches ne s'était toujours pas ouverte. Diego...

— Il est nécessaire que nous travaillions ensemble, a lancé Riley. Aujourd'hui, je vais vous enseigner quelques manœuvres. Des techniques de combat. À partir de maintenant, il s'agit d'autre chose que de se rouler par terre comme des gamins. Dès que la nuit tombera, nous sortirons nous entraîner. Mettez-y tout votre cœur, mais restez concentrés. Pas question de perdre un nouveau membre de notre sabbat ! Nous avons tous besoin les uns des autres, du dernier d'entre nous. Et ceux qui croiraient pouvoir se passer de mes conseils se trompent lourdement.

Il a marqué un bref temps d'arrêt, les muscles de son visage se sont durcis, lui dessinant une nouvelle physionomie.

— Vous découvrirez à quel point, a-t-il enchaîné, quand je vous mènerai à Elle...

J'ai frissonné et j'ai senti la pièce s'agiter, les autres réagissant comme moi.

— ... et quand je vous tiendrai pendant qu'Elle vous arrachera les jambes avant de vous brûler lentement, *très lentement*, les doigts, les oreilles, les lèvres, la langue et tout appendice superflu, *un à un*.

Il nous était arrivé à tous de perdre au moins un membre, nous avions tous éprouvé la brûlure de notre transformation, si bien qu'il ne nous était pas difficile de nous représenter cette scène de torture. Pourtant, ce n'est pas tant la menace qui nous a terrifiés, mais les traits de Riley au fur et à mesure qu'il s'exprimait. Loin d'être déformés par la rage, contrairement à d'habitude, ils étaient sereins et froids, lisses et beaux, et les commissures de ses lèvres étaient relevées en un petit sourire. J'ai soudain eu l'impression d'être devant un nouveau Riley. Quelque chose en lui s'était modifié, affermi, même si je ne parvenais pas à imaginer ce qui avait pu se produire en l'espace d'une seule nuit pour provoquer un sourire aussi parfait et cruel.

J'ai détourné les yeux en tremblant légèrement, découvrant au passage le rictus qui tordait la bouche de Raoul, comme un écho à celui de notre chef. J'ai presque entendu les rouages de son cerveau qui se mettaient en branle. À l'avenir, il ne tuerait plus ses victimes aussi rapidement.

— Maintenant, formons des équipes, a décrété Riley en retrouvant son expression normale. Kristie, Raoul, rassemblez les vôtres, puis vous répartirez le reste de manière équitable. Et pas de disputes ! Montrez-moi que vous pouvez agir rationnellement. Faites vos preuves.

Il s'est éloigné de ses deux capitaines. Ces derniers ont aussitôt commencé à s'asticoter, mais Riley a négligé ce détail et a entrepris de contourner la pièce, touchant l'épaule d'untel ou untel au passage, les poussant vers l'un ou l'autre de ses bras droits. D'abord, je ne me suis pas aperçue qu'il venait dans ma direction, parce qu'il a effectué un détour vraiment très large.

— Bree ? m'a-t-il toutefois hélée.

Il louchait du côté où je me tenais, ce qui avait l'air d'exiger pas mal d'efforts. Je me suis pétrifiée. Il devait avoir humé ma trace dans les bois. J'étais cuite.

— Bree ? a-t-il répété plus doucement.

Sa voix m'a rappelé la première fois qu'il m'avait adressé la parole. Lorsqu'il avait été gentil avec moi.

— J'ai promis à Diego de te transmettre un message, a-t-il ajouté encore plus bas. En précisant qu'il s'agissait d'un truc Ninja. Ça te dit quelque chose ?

Bien qu'il ne réussisse toujours pas à me regarder, il se rapprochait peu à peu.

— Diego ? n'ai-je pu m'empêcher de murmurer.

Il a eu un petit sourire contraint.

— On peut discuter ? a-t-il ensuite demandé en désignant la porte du menton. J'ai vérifié les fenêtres. Le rez-de-chaussée est sûr.

J'avais conscience que je ne serais plus autant en sécurité lorsque je m'éloignerais de Fred, mais il fallait que j'entende ce que Diego avait tenu à me dire. Que s'était-il passé ? J'ai regretté de ne pas être restée avec lui pour affronter Riley. Tête basse, j'ai suivi ce dernier à travers la cave. Il a lancé quelques instructions à Raoul, a gratifié Kristie d'un signe, puis a monté l'escalier. Du coin de l'œil, j'ai remarqué que quelques personnes nous observaient avec curiosité.

Riley a franchi la porte le premier. La cuisine dans laquelle nous avons débouché était, comme promis, entièrement obscure. D'un geste, il m'a ordonné de continuer et m'a conduite à travers un couloir sombre sur lequel donnaient des chambres à coucher. Il a poussé une seconde porte dotée d'un verrou, et nous nous sommes retrouvés dans le garage.

— Tu ne manques pas de cran, a-t-il commenté dans un souffle. Ou alors, tu es très confiante. Je pensais qu'il me faudrait insister beaucoup plus pour que tu acceptes de venir ici alors que le soleil s'est levé.

Houps ! J'aurais été mieux inspirée de mimer la nervosité. Il était trop tard, désormais. Résignée, j'ai haussé les épaules.

— Alors, comme ça, toi et Diego êtes proches, hein ? a lancé Riley dans un souffle à peine audible.

Cela n'éviterait pas que, en bas, pour peu que tous se taisent, ils saisissent ses paroles. Mais pour l'instant, ils étaient plutôt bruyants. De nouveau, j'ai haussé les épaules.

— Il m'a sauvé la vie, ai-je chuchoté.

Riley a soulevé le menton. C'était presque un acquiescement, une approbation. Me croyait-il ?

Pensait-il que je redoutais encore la lumière du jour ?

— Diego est le meilleur, a-t-il commenté. Le môme le plus malin que j'ai dégoté.

J'ai opiné. Juste une fois.

— Nous avons eu un petit entretien au sujet du problème en cours. Nous sommes tombés d'accord qu'il nous fallait un guetteur. Un vampire averti en vaut deux. Il est le seul en qui j'ai assez confiance pour l'envoyer en éclaireur. Dommage que je n'en aie pas deux comme lui ! (Il a reniflé, presque en colère.) Raoul est trop prompt à s'emporter, et Kristie trop préoccupée d'elle-même pour juger de la situation. Mais ils sont tout ce que j'ai, et je dois m'en contenter. Diego m'a appris que tu n'étais pas sotte non plus.

Sans un mot, j'ai attendu. Je ne savais pas trop jusqu'à quel point Riley était au courant de notre histoire, à Diego et à moi.

— J'ai besoin que tu m'aides avec Fred. Bon Dieu, ce môme est super fort ! Je n'ai même pas réussi à me tourner vers lui, ce soir !

Derechef, j'ai eu un hochement de tête prudent.

— Tu imagines un peu, si nos adversaires n'étaient pas en mesure de nous regarder ? Ce serait du gâteau.

À mon avis, Fred n'apprécierait pas l'idée, mais je pouvais me tromper. Il n'avait pas l'air de se soucier beaucoup de notre clan. Accepterait-il de nous sauver ? Je n'ai pas répondu à Riley.

— Tu passes pas mal de temps avec lui, non ?

— Personne ne m'embête, à cet endroit, ai-je éludé. Même si ce n'est pas facile.

Avec une moue, Riley a opiné.

— Tu es maligne. Diego avait raison.

— Où est-il ?

C'était une erreur, je l'ai compris tout de suite Les mots m'avaient échappé, comme mus par une volonté propre. J'ai guetté anxieusement une réaction tout en m'efforçant d'avoir l'air indifférente. Ce à quoi j'ai sûrement échoué.

— Le temps presse. Aussi, je l'ai envoyé vers le sud dès que j'ai appris ce qui se tramait. Si nos ennemis décident d'attaquer prochainement, nous aurons besoin d'être avertis. Diego nous retrouvera là où nous leur tendrons un guet-apens.

J'ai tenté de me représenter Diego. J'aurais aimé être avec lui. Alors, j'aurais peut-être pu le persuader de ne pas obéir à Riley et d'éviter de se mettre entre les combattants. Mais peut-être pas. Il était apparemment très proche de Riley, comme je l'avais craint.

— Diego m'a demandé de te dire quelque chose.

Je l'ai fixé. Vite, trop vite, trop avide. Encore une gaffe !

— Je n'y ai rien compris. Je te transmets mot pour mot : « Dis à Bree que j'ai trouvé notre serment. Je

136

le lui confierai dans quatre jours, quand nous serons réunis. » J'y pige que couic. Et toi ?

J'ai tâché d'afficher une mine impénétrable.

— Bof ! Il a mentionné ce serment. À propos de sa grotte sous-marine. Une sorte de mot de passe. Mais il rigolait, sur le coup. Là, je ne vois pas bien ce qu'il a en tête.

— Pauvre Diego ! a ricané Riley.

— Pardon ?

— J'ai l'impression qu'il t'aime beaucoup plus que tu ne l'aimes.

— Oh !

En pleine confusion, j'ai détourné les yeux. Le message de Diego était-il une manière de me faire savoir que je pouvais avoir confiance en Riley ? Pourtant, il ne semblait pas lui avoir signalé que j'étais au courant, pour le soleil. N'empêche, il devait vraiment considérer Riley comme sûr pour lui en raconter autant, pour lui montrer qu'il tenait à moi. J'ai songé qu'il valait mieux la fermer, cependant. Trop de changements étaient survenus.

— Ne le raye pas des cadres tout de suite, Bree. Je te le répète, il est le meilleur. Donne-lui une chance.

Riley en conseiller sentimental ? C'était par trop étrange.

— Ouais, ai-je marmonné en opinant du bonnet.

— Vois si tu arrives à parler à Fred. Débrouille-toi pour qu'il accepte d'être de la partie.

— Je ferai mon possible.

— Super, a souri Riley. Je te prendrai à part avant que nous partions, et tu me raconteras comment ça s'est passé. Je la jouerai décontracté, pas comme ce soir. Je ne veux pas qu'il ait l'impression que je l'espionne.

— Entendu.

D'un signe, il m'a ordonné de le suivre, et nous sommes retournés à la cave.

L'entraînement a duré toute la journée, mais je n'y ai pas participé. Riley a rejoint ses capitaines, et moi j'ai repris ma place près de Fred. Quatre groupes de quatre avaient été formés sous la direction de Raoul et de Kristie. Personne n'avait choisi Fred, à moins qu'il n'ait ignoré une quelconque invitation ou que les autres n'aient même pas été en mesure de voir qu'il était là. Moi, je le distinguais encore. Il se détachait sur le reste, seul avec moi à ne pas jouer le jeu, espèce de gros éléphant blond dans la pièce.

N'ayant aucun désir de m'associer à l'une des équipes de Raoul ou de Kristie, je me suis contentée d'observer. Là non plus, personne n'a paru s'apercevoir que j'étais assise dans mon coin. Bien que nous soyons sans doute plus ou moins invisibles, grâce au si talentueux Fred, je me sentais affreusement repérable. J'ai regretté de ne pas être invisible à mes propres yeux, j'aurais voulu être témoin de l'illusion afin de me convaincre qu'elle était fiable. Toutefois, on nous a laissés tranquilles et, au bout d'un moment, je me suis presque détendue.

J'ai assisté à l'entraînement avec beaucoup d'attention. Je désirais tout savoir, au cas où. Je n'avais certes pas l'intention de me battre, juste de mettre la main sur Diego et de décamper. Mais si lui avait envie d'en découdre ? Ou si nous étions forcés de lutter pour nous en aller ? Bref, mieux valait être prête.

Il n'y a eu qu'une personne pour demander des nouvelles de Diego. Kevin. Sauf que j'ai eu le sentiment qu'il y avait été poussé par Raoul.

— Est-ce que Diego a fini par griller, finalement ? a lancé Kevin en guise de plaisanterie, sur un ton forcé cependant.

— Diego est avec Elle en mission de surveillance, a répliqué Riley.

Il était inutile qu'il précise qui Elle était. Quelques-uns parmi nous ont frissonné. Par la suite, Diego est devenu un sujet tabou.

Était-il vraiment avec Elle ? L'idée m'a fait frémir. Riley avait peut-être balancé cela afin d'éluder les questions. Il souhaitait sans doute éviter que Raoul soit jaloux, qu'il se sente diminué alors qu'il le voulait au plus haut de son agressivité ce jour-là. Je n'avais aucun moyen de m'en assurer et je n'avais pas l'intention d'enquêter plus avant. À mon ordinaire, je me suis tenue tranquille et j'ai regardé ce qui se passait.

Finalement, le spectacle s'est révélé aussi ennuyeux qu'il m'a donné soif. Riley n'a pas accordé une seule pause à son armée durant trois jours et deux nuits d'affilée. Le jour, il était plus ardu de rester en dehors des choses tant nous étions serrés, dans la cave. En revanche, ça facilitait la tâche de Riley, qui était en mesure d'interrompre une bagarre avant qu'elle ne tourne mal. Dehors, la nuit, les troupes avaient plus d'espace pour travailler, même si Riley était obligé de galoper dans tous les sens afin de récupérer des membres arrachés et de les replacer en vitesse sur leurs propriétaires. Il réussissait à ne pas s'énerver et il avait été assez futé pour confisquer tous les briquets. J'aurais pourtant parié que cette formation allait partir en quenouille, que nous perdrions au moins un ou deux éléments du clan, entre Raoul et Kristie qui s'accrochaient sans cesse. Mais Riley contrôlait ses troupes mieux que je ne l'aurais cru possible.

En réalité, ça consistait surtout en une espèce de répétition. Riley répétait à l'envi les mêmes discours. « Manœuvrez ensemble, surveillez vos arrières, pas d'affrontement bille en tête, manœuvrez ensemble, surveillez vos arrières, pas d'affrontement bille en tête, manœuvrez ensemble, surveillez vos arrières, pas d'affrontement bille en tête. » C'était un peu ridicule, et le groupe avait l'air d'une stupidité sans égal, même si j'étais certaine que j'aurais semblé aussi bête qu'eux si je m'étais retrouvée au milieu de

140

la mêlée, tandis qu'ils m'observaient depuis la ligne de touche en compagnie de Fred.

Ça me rappelait la façon dont Riley nous avait insufflé la peur du soleil. À force de constantes répétitions.

En tout cas, c'était si rasoir que, au bout de dix heures le premier jour, Fred a sorti un jeu de cartes de sa poche et s'est mis à faire des réussites. Comme il était plus intéressant de le contempler que de se farcir encore et toujours les mêmes erreurs des apprentis combattants, je l'ai regardé.

Au bout d'une douzaine d'heures supplémentaires – nous étions rentrés –, j'ai montré à Fred un cinq rouge qu'il pouvait déplacer. Opinant, il s'est exécuté. Après ça, il nous a distribué des cartes à tous les deux, et nous nous sommes lancés dans des parties de rami. Si nous n'avons pas ouvert la bouche, Fred a souri à plusieurs reprises. Personne ne s'est inquiété de nous ou n'a demandé à se joindre à nous.

Nous avons tous été privés de chasse, ce qui, au fil du temps, est devenu de plus en plus difficile à ignorer. Les disputes ont éclaté avec plus de régularité, pour des peccadilles de plus en plus insignifiantes. Les ordres de Riley ont été lancés sur une voix de plus en plus aiguë, et il s'est laissé lui-même aller à arracher deux bras. Je me suis efforcée d'occulter ma soif dévorante. Après tout, Riley devait mourir de soif lui aussi, donc la situation ne durerait pas

éternellement. Il n'empêche que mon désir sangui-
naire a fini par occuper l'essentiel de mes pensées.
De son côté, Fred paraissait assez tendu également.

Tôt la troisième nuit – il ne restait plus qu'une
journée à tenir, et quand je songeais au lent tic-tac
des minutes, mon estomac se nouait –, Riley a donné
l'ordre de cesser les combats simulés.

— Approchez, les mômes !

Tout le monde a formé un demi-cercle lâche autour
de lui. Les bandes du début, partisans de Raoul d'un
côté, de Kristie de l'autre, restaient soudées : il était
clair que l'entraînement n'avait en rien renversé les
alliances. Fred a rempoché ses cartes et s'est levé. Je
lui ai collé au train, escomptant sur son aura répul-
sive pour me cacher.

— Vous avez bien travaillé, a déclaré Riley. Ce
soir, vous allez être récompensés. Rassasiez-vous car,
demain, vous voudrez disposer de toutes vos forces.

Des grognements de soulagement ont retenti.

— Notez que j'ai utilisé « vouloir » et non « avoir
besoin », a précisé Riley. Ce n'est pas pour rien. Je
crois que vous avez pigé le truc, les enfants. Vous
avez gardé la tête froide et vous avez bossé dur. Nos
ennemis ne vont pas comprendre ce qui va leur tomber dessus !

Kristie et Raoul ont grondé, aussitôt imités par
leurs troupes. Surprise, j'ai dû admettre que, en
cet instant, ils avaient l'air d'une armée. Pas qu'ils

marchaient au pas ni rien de ce genre. Simplement, leur réaction avait eu quelque chose d'uniforme, comme si tous constituaient un immense et unique organisme. Comme d'habitude, Fred et moi étions des exceptions repérables à des kilomètres, même s'il me semble que seul Riley avait conscience de notre présence – de temps à autre, ses yeux se posaient sur nous, à croire qu'il vérifiait sa capacité à expérimenter le talent de Fred. Par ailleurs, il ne paraissait pas nous reprocher de ne pas participer. Pour le moment du moins.

— Euh… tu parles de demain *soir*, hein, boss ? a précisé Raoul.

— Exactement, a répondu Riley avec un drôle de petit sourire.

J'ai eu l'impression que personne d'autre ne remarquait rien de particulier dans son attitude. Sauf moi. Et Fred, qui m'a contemplée d'un air interrogateur. J'ai haussé les épaules.

— Prêts pour la récompense ? a demandé Riley.

Ses soldats ont rugi leur acquiescement.

— Cette nuit, vous allez avoir un avant-goût de ce que sera notre monde quand nos ennemis auront été éradiqués. Suivez-moi !

Il a bondi en avant. Raoul et les siens lui ont immédiatement emboîté le pas, et le groupe de Kristie a commencé à jouer des coudes pour tenter de les devancer.

— Ne m'obligez pas à changer d'avis ! a beuglé Riley, quelques mètres plus loin sous les arbres. Je me fiche que vous mouriez de soif !

Kristie a aboyé un ordre, et sa bande s'est rangée derrière celle de Raoul en boudant. Fred et moi avons attendu que les derniers d'entre eux aient disparu, puis il a eu un petit geste comme pour me dire : « Les dames d'abord. » Pas parce qu'il craignait de m'avoir dans son dos, m'a-t-il semblé, plutôt par simple politesse. J'ai démarré au quart de tour.

Si les autres avaient une bonne longueur d'avance, il n'a pas été compliqué de traquer leur odeur. Fred et moi galopions dans un silence complice. Je me suis demandé à quoi il pensait ; peut-être ne pensait-il pas, obsédé par la soif. Personnellement, j'avais la gorge en feu ; lui aussi, sans doute.

Nous avons rattrapé le gros de la horde au bout d'environ cinq minutes, mais avons gardé nos distances. Nos compagnons se déplaçaient avec une discrétion stupéfiante. Ils étaient concentrés et plus… disciplinés. J'ai presque regretté que Riley n'ait pas commencé son entraînement quelques semaines plus tôt. La fréquentation de ce nouveau groupe était bien plus aisée.

Après avoir traversé une double voie déserte puis une seconde forêt, nous avons débouché sur la plage. La mer était calme. Comme nous avions avancé plus ou moins en direction du nord, nous devions nous trouver au niveau du détroit. Nous n'étions passés auprès d'aucune habitation, et je me doutais que Riley y avait soigneusement veillé. Avec une soif et une tension pareilles, il ne faudrait pas longtemps pour que son semblant d'organisation se dissolve au profit d'un chacun pour soi débraillé.

C'était la première fois que nous chassions tous ensemble ; pour ma part, je n'étais pas persuadée que ce soit une très bonne idée. Je n'avais pas oublié la façon dont Kevin et le Spiderman blond s'étaient disputé la conductrice de la voiture, la nuit où j'avais rencontré Diego. Riley avait intérêt à nous fournir plein de proies, sinon nous allions commencer à nous dépecer mutuellement afin de nous rassasier.

Il s'est arrêté sur la grève.

— Lâchez-vous ! nous a-t-il recommandé. Je vous veux bien nourris et forts, au mieux de votre forme. Et maintenant, amusons-nous.

Il s'est jeté dans le détroit. Les autres l'ont imité en grognant. Fred et moi les avons suivis de plus près qu'avant, parce qu'il était impossible de humer leur piste sous l'eau. Fred était réticent, cependant, prêt à déguerpir si l'affaire devait se transformer en autre chose qu'un buffet à volonté. Visiblement, il ne faisait pas plus confiance à Riley que moi.

Nous n'avons pas eu à nager longtemps. Lorsque nous avons vu les autres remonter vers la surface, Fred et moi avons émergé. Riley s'est mis à parler sitôt que nos têtes ont jailli, comme s'il nous avait attendus. Il devait être plus sensible à la présence de Fred que le reste du groupe.

— Le voici ! a-t-il annoncé en désignant un gros ferry qui voguait au sud.

C'était sans doute la dernière liaison de la soirée en provenance du Canada.

— Accordez-moi une minute. Une fois le courant coupé, il sera à vous.

Un murmure excité a parcouru nos rangs. Quelqu'un a ri. Riley a filé comme une flèche. Quelques secondes plus tard, nous l'avons aperçu qui escaladait les flancs du navire. Il a foncé droit sur le poste de commandement, au sommet du bâtiment. À mon avis, il allait bousiller la radio. Il pouvait bien raconter tout ce qu'il voulait à propos de ces fameux ennemis, la raison officielle de notre prudence, j'étais certaine qu'il y avait autre chose derrière ce prétexte. Les humains n'étaient pas censés savoir que les vampires existaient. Du moins, pas très longtemps. Juste assez longtemps pour que nous les massacrions.

D'un coup de pied, Riley a défoncé une grande baie vitrée et s'est faufilé à l'intérieur de la passerelle de commandement. L'instant d'après, les lumières à bord se sont éteintes.

Je me suis alors rendu compte que Raoul s'était éclipsé. Il avait sans doute plongé pour que nous ne l'entendions pas suivre Riley. Toute la bande a aussitôt démarré, et l'eau a bouillonné comme si un énorme banc de barracudas attaquait.

Fred et moi avons avancé à un rythme plutôt paresseux, à l'arrière. D'une drôle de façon, nous ressemblions à un vieux couple : si nous ne nous adressions jamais la parole, nous agissions toujours de conserve.

Nous sommes montés à bord avec trois secondes de retard par rapport à nos camarades. Des hurlements résonnaient déjà un peu partout, et l'odeur de l'hémoglobine alourdissait l'atmosphère. Elle m'a fait prendre conscience de l'ampleur de ma soif, et c'est la dernière pensée qui m'a traversé l'esprit. Mon cerveau s'est complètement fermé, et plus rien n'a existé que la douleur dévorante de ma gorge et le sang exquis, du sang à satiété qui offrait la promesse d'apaiser ce feu.

Lorsque nous en avons eu terminé, plus un cœur ne battait sur le bateau. J'avais perdu le compte du nombre de personnes que j'avais tuées. Plus du triple de mon record, sans aucun doute. J'avais chaud, j'étais congestionnée. J'avais bu jusqu'à plus soif, rien que pour assouvir mon goût du sang. Pour l'essentiel, il avait été pur et succulent – les passagers n'étaient pas la lie de l'humanité. Bien que je ne me sois pas retenue, j'étais sûrement une de ceux qui avaient fait le moins de victimes. Raoul était entouré d'une telle quantité de corps martyrisés qu'ils formaient une petite colline. Assis sur sa pile de cadavres, il s'esclaffait bruyamment.

Il n'était pas le seul, au demeurant. Le bâtiment obscur résonnait de cris de joie.

— C'était génial ! a braillé Kristie. Hip, hip, hip hourra pour Riley !

Les voix rauques de ses sbires ont repris l'acclamation. On aurait dit une bande d'ivrognes en goguette.

Jen et Kevin sont soudain remontés sur le pont supérieur, trempés comme des soupes.

— On les a tous chopés, boss ! a lancé Jen à Riley.

Ainsi, certains malheureux avaient tenté de se sauver à la nage. Je n'avais rien remarqué.

J'ai cherché Fred des yeux. Il m'a fallu un moment pour le dénicher. Finissant par m'apercevoir que je n'arrivais pas à tourner la tête du côté des distributeurs automatiques, je me suis dirigée par là. D'abord, j'ai eu l'impression que le tangage me donnait le mal de mer, puis je me suis suffisamment avancée pour que le malaise passe et j'ai découvert Fred debout près d'une fenêtre. Il m'a adressé un sourire furtif avant de regarder derrière moi. Pivotant sur mes talons, j'ai constaté qu'il observait Riley. Il m'a semblé que ça faisait un bon moment d'ailleurs.

— Bon, les enfants, a lancé notre chef. Vous avez goûté à la vie facile, mais nous avons du boulot.

Un rugissement enthousiaste a accueilli cette annonce.

— J'ai encore trois choses à vous dire avant notre mission, a-t-il enchaîné. Il sera entre autres question d'un petit dessert. Alors, coulons ce rafiot et rentrons à la maison !

Avec des rires mêlés de grognements, la horde a entrepris de démanteler l'embarcation. Fred et moi nous sommes jetés par-dessus bord afin d'assister au spectacle de loin. Assez vite, le ferry s'est affaissé en son centre dans un concert de grincements métalliques. Le milieu a sombré en premier, suivi par la proue et la poupe qui se sont redressées vers le ciel avant de plonger, l'une après l'autre, la poupe battant la proue de quelques secondes. Le banc de barracudas s'est alors dirigé vers nous, et nous avons regagné la côte.

Nous sommes repartis en courant au chalet, encore une fois à distance des autres. À une ou deux reprises, Fred m'a contemplée comme s'il souhaitait me confier quelque chose avant de se raviser cependant.

À la maison, Riley s'est attaché à calmer les ardeurs. Plusieurs heures lui ont été nécessaires pour tenter de ramener ses troupes au sérieux. Une fois n'est pas coutume, ce n'était pas des esprits bagarreurs qu'il essayait d'apaiser, juste une humeur festive. J'ai songé que, si ses promesses se révélaient fausses, il allait avoir des ennuis lorsque notre embuscade aurait pris fin. Maintenant que tous ces vampires avaient festoyé comme jamais, ils allaient se montrer rétifs pour ce qui était de se restreindre. Mais bon, cette nuit, Riley faisait figure de héros.

Les gens ont quand même fini par se tenir tranquilles et par prêter attention. Un peu après l'aube, selon mes estimations. À en juger par les visages des uns et des autres, j'ai compris qu'ils étaient prêts à gober tout ce que Riley voudrait bien leur raconter. Ce dernier s'est juché à mi-hauteur de l'escalier, grave.

— Trois choses, a-t-il déclaré. D'abord, nous devons nous assurer que nous attaquons le bon clan. Si nous nous trompons de cible, nous dévoilerons nos intentions. Or, il faut que nos adversaires si puissants soient trop confiants et pris au dépourvu. Ils ont deux caractéristiques bien particulières qui les rendent difficiles à louper. Pour commencer, ils sont différents de nous, ils ont les yeux jaunes.

Un murmure ahuri a parcouru l'assemblée.

— Jaunes ? a répété Raoul d'une voix dégoûtée.

— Le monde vampirique vous est encore largement inconnu. Je vous ai déjà dit que ceux-ci étaient vieux. Leur vision est moins aiguisée que la nôtre, la couleur jaune est signe de grand âge. Ce qui nous donne un avantage supplémentaire. (Riley a hoché la tête, comme pour se signifier à lui-même qu'il en avait terminé avec le premier point.) Il existe cependant d'autres vampires très anciens, et nous disposerons d'un deuxième détail pour distinguer les nôtres. C'est ici qu'intervient le dessert que j'ai mentionné tout à l'heure. (Il a marqué une pause, affichant un sourire rusé.) Vous allez avoir du mal à l'admettre. Personnellement, je ne comprends pas, mais j'en ai été témoin. Figurez-vous que ces vieillards sont devenus si tendres avec les siècles qu'ils ont intégré à leur clan une humaine domestique. Un peu comme un chien, si vous voulez.

Sa révélation a provoqué un silence hébété, une incrédulité totale.

— Je sais, c'est difficile à avaler. Pourtant, c'est la vérité. Nous les repérerons grâce à la fille qui les accompagnera.

— Mais…, a murmuré Kristie. Comment ça ? Ils transportent leur repas un peu partout ?

— Non. C'est toujours la même, et ils n'envisagent pas de la tuer. Je ne sais pas pourquoi ni comment ils se retiennent. Ils aiment peut-être afficher leur originalité. Ou alors, ils friment en exposant leur self-control. À moins qu'ils croient que ça leur donne l'air plus fort. Je ne pige pas, mais j'ai vu la fille. Mieux encore, je l'ai sentie.

D'un geste lent et théâtral, il a sorti de la poche de sa veste un petit sac en plastique à glissière qui contenait un bout de tissu rouge.

— J'ai effectué quelques missions de reconnaissance,

ces dernières semaines, afin de surveiller les Yeux Jaunes dès qu'ils ont commencé à avancer vers Seattle. (Il s'est tu, nous a gratifiés d'un regard paternel.) Je voulais vous protéger, mes enfants. Bref, quand j'ai compris qu'ils se rapprochaient de nous, j'ai récupéré ça – il a brandi le sachet – pour nous aider à les traquer. Veuillez humer cette odeur, tous.

Il a tendu son trophée à Raoul qui, après avoir ouvert la glissière, a inspiré profondément. Il a ensuite contemplé Riley avec stupéfaction.

— Je suis d'accord, a lancé le chef. Étonnant, n'est-ce pas ?

L'air concentré, Raoul a passé le sac à Kevin. Et ainsi de suite. L'un après l'autre, les petits soldats ont reniflé le tissu, chacun réagissant en écarquillant des yeux ronds. J'étais si intriguée que je me suis éloignée de Fred jusqu'à ressentir la vague nausée m'indiquant que j'étais sortie de son cercle protecteur. Je me suis plantée à côté du môme Spiderman, lequel paraissait être à la queue de la file. Lorsque son tour est venu, il a respiré et s'apprêtait à rendre le sachet à celui qui le lui avait donné quand j'ai tendu la main en émettant un léger sifflement. Il a sursauté, comme s'il ne m'avait encore jamais vue, puis m'a offert le chiffon.

Le tissu rouge semblait être un corsage. Tout en surveillant mes voisins – des fois que –, j'ai fourré mon nez dans l'ouverture et j'ai inhalé. Ah ! Je

152

comprenais à présent l'expression des autres et j'ai deviné que quelque chose d'identique se dessinait sur mes traits. L'humaine qui avait porté ce vêtement avait un sang des plus sucrés. C'est à juste titre que Riley avait parlé de dessert. Comme j'étais rassasiée, tout en appréciant le parfum, je n'ai pas eu suffisamment mal à la gorge pour grimacer. N'empêche, goûter ce sang devait être formidable, même si, pour l'instant, ne pas pouvoir le faire ne provoquait aucune souffrance chez moi.

Je me suis demandé combien de temps il faudrait avant que ma soif revienne. D'habitude, quelques heures suffisaient, et la douleur se réveillait, empirant peu à peu jusqu'à ce que, au bout de deux jours, il soit impossible de l'oublier, ne serait-ce qu'une seconde. Les quantités excessives que j'avais avalées cette nuit retarderaient-elles le processus ? Je le découvrirais bien assez tôt, sans doute.

J'ai jeté un coup d'œil alentour afin de vérifier que personne ne réclamait le sac. Je pensais en effet que Fred serait curieux lui aussi. Croisant mon regard, Riley a eu un sourire imperceptible et a très légèrement hoché la tête en direction du coin où se tenait Fred. Cette permission m'a donné envie de faire le contraire de ce que j'avais eu l'intention de faire, mais bon. Inutile d'alerter Riley.

Je suis retournée vers Fred, ignorant la nausée jusqu'à ce qu'elle s'estompe. Je lui ai tendu le sac. Il a semblé content que j'aie songé à l'inclure. Souriant, il a humé le corsage, puis il a opiné, pensif. Il m'a rendu le trophée de Riley d'un air entendu. J'en ai déduit que, la prochaine fois que nous serions seuls, il formulerait à voix haute ce qu'il avait paru vouloir me confier un peu plus tôt.

J'ai lancé le sac à Spiderman, qui a réagi comme si l'objet tombait du ciel sans crier gare, mais l'a rattrapé avant qu'il ne s'écrase par terre. Les chuchotis allaient bon train. Riley a tapé dans ses mains à deux reprises pour ramener le calme.

— O.K., voilà pour le dessert. La fille sera avec les Yeux Jaunes. Le premier à la choper aura le droit de la déguster, c'est aussi simple que ça.

Des grognements appréciateurs, compétitifs, ont salué cette annonce.

Si c'était simple… ce n'était pas très habile, ai-je songé. N'étions-nous pas censés détruire ce clan ? Or c'était l'unité de nos troupes qui était supposée nous y aider, pas une sorte de récompense du style premier arrivé premier servi, réservée à un seul vampire. L'unique résultat tangible du plan était donc la mort d'une humaine. Je pouvais inventer une bonne demi-douzaine d'arguments plus efficaces pour motiver cette armée. Celui qui liquiderait le plus d'Yeux Jaunes gagnerait la fille ; celui qui ferait montre du meilleur travail d'équipe ; celui qui respecterait au mieux les consignes ; celui qui obéirait le mieux aux

154

ordres ; le champion des combattants, etc. À mon avis, il aurait fallu se concentrer sur le danger, lequel n'émanait pas du tout de l'humaine.

J'ai observé les autres. Très vite, il m'est apparu qu'ils ne réfléchissaient pas comme moi. Raoul et Kristie se toisaient, Sara et Jen marchandaient avec force chuchotements sur la possibilité de se partager la récompense. Bref, seul Fred semblait avoir des doutes, à en juger par ses sourcils froncés.

— Dernière chose enfin, a repris Riley et, pour la première fois, il a eu des intonations réticentes. Ceci risquant d'être encore plus dur à accepter, je vais vous en apporter la preuve. Je ne vous obligerai à rien que je ne m'imposerai à moi-même. Rappelez-vous que je serai avec vous lors de toutes les étapes de notre mission, les enfants.

Une fois encore, l'assistance s'est figée dans un silence attentif. J'ai noté que Raoul avait récupéré le sachet plastique et s'y agrippait d'un air possessif.

— Il vous reste encore tant à apprendre sur votre statut de vampire, a enchaîné Riley. Certains aspects de votre nouvelle vie sont plus logiques que d'autres, et celui-ci est l'un de ceux qui, au premier abord, vous paraîtra surprenant. Sachez cependant que j'en ai fait l'expérience et que je vais vous le démontrer.

Il a réfléchi pendant une longue seconde avant de poursuivre :

— Quatre fois par an, le soleil brille selon un angle indirect très spécifique. En cette occasion, et seulement celle-là, quatre fois dans l'année, il nous est possible d'affronter la lumière du jour.

Le groupe s'est pétrifié. Plus personne ne respirait. Riley s'adressait à une rangée de statues.

— L'une de ces journées particulières commence dès maintenant. Le soleil qui se lèvera aujourd'hui ne fera de mal à aucun d'entre nous. Nous profiterons bien sûr de cette exception pour attaquer nos ennemis.

À l'intérieur de mon crâne, les pensées tourbillonnaient dans tous les sens. Ainsi, Riley savait que nous ne risquions rien à sortir en plein jour. Ou alors, il l'ignorait, et notre créateur avait inventé l'histoire des quatre occasions annuelles. Il était d'ailleurs possible qu'elle soit vraie, et que Diego et moi ayons eu de la chance. Sauf que Diego s'était déjà tenu dans l'ombre d'un arbre. Et que Riley apparentait le phénomène à une espèce de cycle saisonnier. Or Diego et moi nous étions exposés à la lumière quatre jours auparavant à peine.

Je comprenais que Riley et notre créateur aient souhaité garder le contrôle sur nous en entretenant notre crainte du soleil. C'était logique. Mais pourquoi révéler la vérité maintenant, et de façon très partielle ? J'étais prête à parier que c'était lié aux Manteaux Gris. Elle voulait sans doute devancer la date limite qu'ils Lui avaient impartie. Ils ne Lui avaient pas promis de Lui laisser la vie sauve une fois les Yeux Jaunes éliminés. À mon avis, Elle déguerpirait à la seconde où son but aurait été accompli. Tuer le clan ennemi et s'offrir de très longues vacances en Australie ou n'importe où à l'autre bout du monde. J'étais également certaine qu'Elle ne nous enverrait pas d'invitations à La rejoindre. Il fallait que j'entre en contact avec Diego rapidement afin que nous filions nous aussi. Dans une direction opposée à celle que prendraient Riley et notre créateur. Je devais également avertir Fred, ce que je ferais dès que je serais seule avec lui.

Le petit discours de Riley empestait la manipulation, et je n'avais aucune assurance d'en saisir tous les tenants et les aboutissants. J'aurais aimé que Diego soit là pour que nous l'analysions ensemble.

Que Riley ait inventé le coup des quatre journées sous le coup de l'inspiration, pour peu que ce soit le cas, c'était compréhensible. Après tout, il lui était délicat de balancer qu'il nous avait menti depuis le début, qu'il avait désormais décidé de dire la vérité. Ça aurait été saper l'emprise sur nous qu'il avait mis tant de temps à gagner.

— Que cette perspective vous terrifie est normal, poursuivait-il à l'intention des statues. Si vous êtes vivants, c'est parce que vous m'avez obéi quand je vous ai recommandé la prudence. Vous êtes rentrés à la maison à l'heure, vous avez écouté votre peur qui vous a rendus prudents et malins. Je ne m'attends pas à ce que vous mettiez de côté cette peur intelligente d'un seul coup. Je ne m'attends pas non plus à ce que vous franchissiez cette porte sur ma seule parole. Mais… (Il a englobé la pièce d'un seul regard.), je m'attends à ce que vous me *suiviez* dehors.

Ses prunelles se sont détachées de son public pendant une fraction de seconde des plus minimes, effleurant très brièvement quelque chose qui se trouvait au-dessus de ma tête.

— Regardez-moi, a-t-il ensuite ordonné. Écoutez-moi. Faites-moi confiance. Quand vous verrez que tout va bien, croyez-en vos yeux. Le soleil, en cette journée spéciale, produit des effets très intéressants sur notre peau. Vous constaterez qu'il ne vous blesse en aucune façon. Vous savez bien que jamais je ne vous exposerais à un danger inutile.

Il a commencé à grimper les marches.

— Riley ! a lancé Kristie. On ne pourrait pas attendre que…

— Soyez attentifs, l'a-t-il coupée en progressant à pas mesurés. Cela va nous donner un autre avantage énorme. Car si les Yeux Jaunes sont au courant de ce jour particulier, ils ignorent que nous aussi.

Tout en pérorant, il a ouvert la porte et a quitté la cave pour la cuisine. Aucun rayon n'y filtrait, ce qui n'a pas empêché tout un chacun de reculer. Sauf moi. La voix a continué à nous parvenir.

— La plupart des jeunes vampires mettent du temps à appréhender cette exception, ce qui est légitime, puisque ceux qui ne se montrent pas circonspects envers la lumière du jour ne durent pas longtemps.

Sentant le regard de Fred vrillé sur moi, je me suis retournée. Il me fixait avec anxiété, comme s'il avait voulu s'enfuir sans avoir nulle part où se réfugier.

— Ne te bile pas, lui ai-je chuchoté dans un souffle à peine audible. Le soleil est inoffensif.

« Tu as confiance en lui ? » m'a-t-il lancé sans émettre un son.

« Jamais de la vie. »

Fred a eu une mimique perplexe mais s'est un peu détendu. J'ai inspecté la paroi derrière nous, en quête de ce qu'avait contemplé Riley. Rien n'avait changé. C'était juste les portraits de famille des propriétaires morts, un petit miroir, un coucou. Hmm. Avait-il consulté l'heure ? Notre créateur lui avait peut-être imposé un délai à lui aussi.

— O.K., les gars, je sors, a-t-il annoncé. Inutile d'avoir peur aujourd'hui, je vous le promets.

La clarté a jailli dans la cave à travers la porte de la cuisine ouverte, renforcée par la peau de Riley – ce que seule moi savais. Des reflets étincelants ont dansé sur les murs. Sifflant, grondant, le clan s'est précipité dans le coin opposé à celui qu'occupait Fred. Kristie était tout derrière. Apparemment, elle essayait d'utiliser ses sbires comme bouclier.

— Du calme ! a crié Riley. Je vais parfaitement bien. Je n'ai pas mal, je ne brûle pas. Montez voir ! Allez !

Personne n'a bronché. Près de moi, Fred s'était accroupi, fixant la source lumineuse avec affolement. J'ai agité une main tout doucement afin d'attirer son attention. Lentement, il s'est redressé. Je l'ai gratifié d'un sourire encourageant. Les autres guettaient la déflagration. Je me suis demandé si j'avais eu l'air aussi bête devant Diego.

— Je suis curieux de voir lequel d'entre vous sera le plus courageux, a raillé Riley, là-haut. J'ai une assez bonne idée de celui qui franchira ce seuil en premier, mais il m'est déjà arrivé de me tromper.

J'ai poussé un soupir agacé. Quelle subtilité de panzer !

Naturellement, ça a fonctionné. Raoul a entrepris presque tout de suite de se rapprocher centimètre par centimètre des marches. Une fois n'est pas coutume, Kristie n'avait aucune envie de relever le défi et d'obtenir l'approbation de Riley. Raoul a claqué des doigts à l'adresse de Kevin qui, suivi du fan de Spiderman, l'a rejoint de mauvaise grâce.

— Vous m'entendez, vous en déduisez donc que je n'ai pas été calciné. Cessez de vous comporter

160

comme des bébés ! Vous êtes des vampires, je vous rappelle. Alors, agissez comme tels !

Malgré ces exhortations, Raoul et ses comparses n'arrivaient pas à dépasser le pied de l'escalier. Le reste de la bande était figé sur place. Au bout de quelques instants, Riley est revenu. Sous la lumière indirecte en provenance du rez-de-chaussée, il rayonnait un peu moins.

— Regardez-moi ! Je n'ai rien. Franchement ! Vous me faites honte. Amène-toi, Raoul !

Pour finir, il a dû attraper Kevin – Raoul s'était esquivé dès qu'il avait deviné les intentions de Riley – et l'a traîné de force en haut des marches. Lorsqu'ils ont pénétré dans la lumière, leurs reflets ont illuminé le seuil.

— Dis-leur, Kevin ! a ordonné Riley.

— Tout va bien, Raoul ! a lancé le môme. Wouah ! Je… je brille de partout ! C'est dingue.

Il a éclaté de rire.

— Bien joué, l'a félicité Riley.

Il n'en a pas fallu plus à Raoul. Serrant les dents, il a grimpé l'escalier. Pas très vite, certes. Bientôt, lui aussi s'est retrouvé dehors, étincelant, riant avec Kevin. Même à partir de là, le procédé a demandé plus de temps que je ne l'aurais cru. Ils y allaient à la queue leu leu, et Riley s'est impatienté. Maintenant, ses beuglements s'apparentaient plus à des menaces qu'à des encouragements. Soudain, Fred m'a lancé un regard qui disait : « Tu étais au courant ? » De mes seules lèvres, je lui ai répondu que oui.

Acquiesçant, il s'est dirigé vers les marches. Il restait une dizaine de personnes en bas, des fidèles de Kristie pour la plupart, blottis contre le mur. J'ai décidé d'accompagner Fred, considérant qu'il valait mieux faire partie du groupe du milieu que des traînards. Que Riley y lise ce qu'il voudrait.

Dans le jardin de devant, les vampires, transformés en boules à facettes, luisaient, contemplant leurs mains et le visage des autres avec fascination. Fred est entré dans la lumière sans ralentir, ce que j'ai trouvé drôlement courageux, tout bien considéré. Kristie, elle, était un excellent exemple de la réussite de Riley en matière d'endoctrinement. Elle s'accrochait à ce qu'elle connaissait, en dépit des preuves qu'elle avait sous le nez.

Fred et moi nous sommes placés un peu à l'écart. Il s'est examiné avec soin avant de relever la tête et de contempler les autres. Frappée, je me suis alors rendu compte que, bien que très discret, il était fort observateur, presque scientifique dans la façon qu'il avait de considérer les choses. Depuis le début, il avait évalué les mots et les actes de Riley. Jusqu'à quel point de clairvoyance était-il exactement parvenu ?

Riley a été forcé d'obliger Kristie à grimper les marches. Sa bande l'a suivie. Nous avons fini par nous retrouver tous au soleil. La plupart se réjouissaient de leur beauté. Notre chef a rassemblé ses troupes pour un ultime et bref entraînement. J'ai songé que c'était surtout une bonne façon de redonner un peu de concentration à tout le monde. Au bout d'une minute d'ailleurs, les petits soldats l'ont compris et ils se sont calmés, leur excitation puérile laissant place à leur férocité naturelle. La perspective d'un vrai combat, l'idée d'être autorisés, *encouragés* même, à déchiqueter et brûler des semblables, étaient presque aussi excitantes que la chasse. Elles ravissaient les gens comme Raoul, Jen et Sara.

Riley s'en tenait à la stratégie qu'il avait tenté de leur inculquer ces derniers jours. Une fois que nous aurions localisé les Yeux Jaunes, nous les diviserions en deux groupes et les attaquerions sur plusieurs flancs à la fois. Raoul mènerait la charge frontale, tandis que Kristie arriverait sur leur aile. Ce plan correspondait à leur style respectif, bien que j'aie des doutes quant à leur aptitude à s'en tenir à la tactique arrêtée au plus fort de la bagarre.

Quand, au bout d'une heure, Riley a rappelé tout le monde, Fred a aussitôt commencé à marcher vers le nord. Les autres étaient face au sud. Je suis restée près de Fred, même si j'ignorais ce qu'il mijotait. Il a stoppé à une centaine de mètres, dans l'ombre des épicéas, en lisière de forêt. Il surveillait Riley, comme s'il guettait le moment où notre chef s'apercevrait de notre retraite.

— Nous partons maintenant, a annoncé ce dernier. Vous êtes puissants et préparés. Assoiffés aussi, hein ? Vous sentez la brûlure. Vous êtes prêts à avaler le dessert.

Il avait raison. Les litres de sang absorbés durant la nuit n'avaient pas ralenti le retour de notre soif. Au contraire, même, j'avais l'impression qu'elle s'était réveillée encore plus vite et plus intensément que d'ordinaire. Si ça se trouve, trop se nourrir était contre-productif.

— Les Yeux Jaunes progressent lentement, en provenance du sud, s'abreuvant en route pour tenter de prendre des forces. Elle les a surveillés depuis leur départ, si bien que je sais où les localiser. Elle nous retrouvera là-bas avec Diego… (Riley a jeté un coup d'œil significatif vers l'endroit où je m'étais tenue l'instant auparavant et a tout aussi brièvement froncé les sourcils.)… et nous les frapperons comme un raz-de-marée. Nous les vaincrons sans aucune difficulté, puis nous célébrerons notre victoire. (Il a souri.) Quelqu'un parmi vous aura une longueur d'avance. Raoul, donne-moi ça.

Riley a tendu une main d'un geste impérieux. De mauvaise grâce, Raoul lui a lancé le sachet contenant le corsage. Apparemment, il avait essayé de clamer ses droits sur la fille en monopolisant son parfum.

— Que tout le monde respire encore un petit coup, que tout le monde se concentre !

Sur quoi ? La fille ou l'affrontement ?

Cette fois, c'est Riley en personne qui a porté le chiffon de l'un à l'autre, comme s'il voulait s'assurer que chacun aurait soif. D'après les réactions des autres, j'ai deviné que la brûlure s'était de nouveau emparée d'eux. L'odeur du corsage déclenchait leurs grimaces et leurs grondements. Nous la redonner à humer n'était pas nécessaire. Nous n'oubliions rien. Il s'agissait sûrement d'un test, par conséquent. Rien que de penser à l'arôme de l'humaine m'a empli la bouche de poison.

— Me soutenez-vous ? a hurlé Riley.

L'assistance a crié son accord à l'unisson.

— Alors, allons-y, les enfants ! Massacrons-les !

Une fois encore, j'ai eu l'impression de retrouver les barracudas. Sinon que nous étions sur la terre ferme.

Fred n'a pas bougé. Alors, je suis restée avec lui, quand bien même j'avais conscience de perdre un temps dont j'avais pourtant besoin. Si je voulais atteindre Diego et l'entraîner avant le début des hostilités, il fallait que je sois aux avant-postes. C'est avec anxiété que j'ai regardé l'armée s'éloigner. J'étais plus jeune que la majorité de ses membres, plus rapide donc.

— Riley ne pensera pas à moi avant une vingtaine de minutes, m'a annoncé Fred d'une voix sereine et bizarrement familière, comme si nous avions eu des millions de conversations par le passé. J'ai calculé ce laps de temps. Et même à bonne distance, il aura la nausée s'il tente de se souvenir de moi.

— Ah bon ? Trop cool.

Il a souri.

— Je me suis entraîné à suivre la trace des effets de mon don. Je suis maintenant capable de me rendre complètement invisible. Personne ne peut me regarder si je ne l'y autorise pas.

— J'avais remarqué, oui, ai-je opiné. Bref, tu ne comptes pas y aller, hein ?

— Bien sûr que non. Il est évident qu'on ne nous dit pas ce que nous devrions savoir. Pas question d'être le pion de Riley.

Ainsi, il avait tout deviné.

— Je serais bien parti plus tôt, mais je voulais te parler avant, et c'est la première occasion que nous ayons.

— Moi aussi, j'avais envie de te parler. Il est important que tu saches que Riley ment, à propos du soleil. Cette histoire des quatre jours dans l'année, c'est du bidon. Je crois que Shelly, Steve et ceux qui ont disparu l'avaient découvert. Par ailleurs, ce combat dissimule plus de manœuvres politiciennes que ce qu'on nous en a dévoilé. Ça dépasse un simple clan ennemi.

Je m'étais exprimée rapidement, consciente des minutes qui s'écoulaient au fur et à mesure de la course acharnée du soleil. Je devais absolument rejoindre Diego.

— Voilà qui ne m'étonne pas, a répondu Fred avec calme. Je me tire. Je pars de mon côté, je vais explorer le monde. Enfin, j'avais songé y aller seul, mais tu souhaites peut-être venir, toi aussi. Tu ne risquerais pas grand-chose, avec moi. Il n'est pas né, celui qui parviendra à nous traquer.

L'espace d'une seconde, j'ai hésité. La perspective d'être en sécurité était assez irrésistible, en cet instant.

— Il faut que je retrouve Diego, ai-je cependant fini par refuser en secouant la tête.

Il a pensivement acquiescé.

— Je comprends. Si tu es prête à répondre de lui, n'hésite pas à l'amener également. Il semble que, parfois, il soit bien pratique d'être en nombre.

— Oui, ai-je reconnu avec ardeur en me rappelant à quel point je m'étais sentie vulnérable, seule dans l'arbre avec Diego, quand les quatre Manteaux Gris avaient approché.

Mon ton a eu l'air d'étonner Fred.

— Riley ment au moins sur une dernière chose importante, ai-je expliqué. Sois prudent. Nous ne sommes pas censés permettre aux humains de savoir que nous existons. Il existe une espèce de vampires assez terrifiants qui s'occupent des clans lorsqu'ils deviennent trop voyants. Je les ai croisés, et je te conseille d'éviter d'attirer leur attention. Cache-toi le jour et sers-toi de ton intelligence quand tu chasses.

Regardant vers le sud, j'ai ajouté précipitamment :

— Je dois y aller.

— Très bien, a-t-il marmonné tout en réfléchissant à mes révélations. Tu n'auras qu'à me rattraper quand bon te semblera. J'aimerais en apprendre plus. Je t'attendrai à Vancouver. Un jour. Je connais la ville. Je te laisserai une piste à… (Il y a pensé, puis a ri.) À Riley Park. Elle te conduira à moi. Mais dans vingt-quatre heures, je décampe.

— Je vais chercher Diego et je te rejoins.

— Bonne chance, Bree.

— Merci, Fred. Bonne chance à toi aussi. À bientôt !

J'étais déjà partie au galop.

— J'espère bien, ai-je cru l'entendre lâcher dans mon dos.

J'ai couru sur la trace des autres, volant plus vite que jamais au-dessus du sol. J'ai eu de la veine. Ils avaient dû s'arrêter pour une raison quelconque – se faire enguirlander par Riley, très certainement – car je les ai rattrapés plus tôt que prévu. À moins que Riley se soit souvenu de Fred et nous ait cherchés. Ils progressaient à une allure régulière quand je les ai rejoints, à demi disciplinés, comme la nuit précédente. J'ai essayé de me glisser en douce dans le troupeau ; malheureusement, Riley s'est vivement retourné afin de fusiller des yeux les retardataires. Ses prunelles se sont fixées sur moi, puis il est reparti de plus belle. Pensait-il que Fred était avec moi ? Alors qu'il ne le reverrait jamais ?

À peine cinq minutes plus tard, tout a changé.

Raoul a flairé une piste. Il a immédiatement déguerpi en poussant un feulement rauque. Riley nous avait tellement travaillés au corps qu'il n'a fallu qu'une minuscule étincelle pour mettre le feu aux poudres. Les voisins de Raoul ayant eux aussi humé la trace, tout le monde est devenu cinglé. L'insistance de Riley à nous monter contre l'humaine avait effacé le reste de ses instructions. Nous étions des chasseurs, plus des soldats. Il n'y avait plus d'équipe. C'était une course au sang.

Bien que je sois consciente des multiples mensonges de l'histoire, je n'ai pas pu entièrement résister à l'odeur. À l'arrière de la meute, j'ai éprouvé le besoin de traverser la piste olfactive. Fraîche. Puissante. La fille était venue par ici il y avait peu, et elle sentait le sucre. J'étais forte de tout le sang absorbé la veille, mais ça ne comptait pas. J'avais soif. Ma gorge brûlait.

Je courais à la suite des autres tout en essayant de garder les idées claires. J'ai eu du mal à me retenir, à rester derrière. Le plus proche était Riley. Est-ce que par hasard… lui aussi se retenait ? Il a braillé quelques ordres, essentiellement les mêmes, répétés à l'envi.

169

— Fais le tour, Kristie ! Le tour ! Séparez-vous ! Kristie ! Jen ! Partez !

Sa fameuse stratégie de l'embuscade en étau était en train de se déliter à la vitesse grand V. Accélérant, il a rattrapé le groupe principal et saisi Sara par les épaules. Quand il l'a poussée sur la gauche, elle a tenté de le mordre.

— Fais le tour ! a-t-il hurlé.

S'en prenant cette fois au môme blond dont je n'avais toujours pas réussi à connaître le nom, il l'a propulsé dans Sara qui, visiblement, n'a pas apprécié. Émergeant de son obsession chasseresse, Kristie a soudain paru se rappeler qu'elle était censée appliquer une tactique de combat. Jetant un regard perçant à Raoul, elle s'est mise à s'époumoner à l'adresse de ses sbires.

— Par ici ! Plus vite ! On va les prendre sur le flanc. On sera les premiers à la choper ! Suivez-moi !

— Moi, j'attaque de front avec Raoul ! lui a crié Riley en s'éloignant.

J'ai eu un moment d'hésitation. Je ne tenais pas du tout à « attaquer de front », mais l'équipe de Kristie avait déjà commencé à s'autodétruire. Sara avait coincé le blondinet dans une clef. Le bruit émis par sa tête quand elle la lui a arrachée a décidé pour moi, et j'ai galopé derrière Riley en me demandant si Sara prendrait la peine de s'arrêter dans son élan afin de brûler le petit gars qui avait aimé jouer à Spiderman.

Je n'ai pas tardé à apercevoir Riley. Gardant une saine distance entre nous, je l'ai suivi. Il a rejoint la bande de Raoul. À cause de la piste semée par l'humaine, j'avais du mal à rester focalisée sur les choses qui comptaient.

— Raoul ! a appelé Riley.

L'interpellé a grogné sans se retourner, totalement absorbé par l'odeur sucrée.

— Il faut que j'aille aider Kristie ! Je te retrouve là-bas ! Reste concentré !

J'ai freiné des quatre fers, déboussolée. Raoul a poursuivi sa course sans répondre à Riley. Ce dernier a ralenti, trottinant puis marchant. J'aurais dû bouger, mais il aurait probablement perçu mes mouvements quand j'aurais tenté de me cacher. Pivotant sur ses talons, il m'a découverte, un sourire aux lèvres.

— Bree… Je te croyais avec Kristie.

Je n'ai pas réagi.

— J'ai entendu que quelqu'un était blessé, s'est-il justifié précipitamment. Je serai plus utile à Kristie qu'à Raoul.

— Tu… tu nous abandonnes ?

L'expression de Riley s'est modifiée, et j'ai eu l'impression de pouvoir lire sur ses traits comment il avait décidé de changer de tactique avec moi. Ses prunelles se sont écarquillées, soudain inquiètes.

— Je me fais du souci, Bree. Je vous ai dit qu'Elle devait nous rejoindre ici et nous donner un coup de main, mais je n'ai pas humé Sa trace. Quelque chose ne tourne pas rond. Il faut que je La localise.

— Sauf que tu n'y parviendras pas avant que Raoul tombe sur les Yeux Jaunes.

— Je dois vraiment découvrir ce qui se passe, a-t-il insisté avec une angoisse authentique. J'ai besoin d'Elle. Je n'étais pas censé agir seul !

— Mais les autres…

— Il est indispensable que je La déniche, Bree ! Maintenant ! Vous êtes assez nombreux pour battre nos adversaires. Je reviendrai dès que ce sera possible.

Il paraissait sincère. J'ai jeté un coup d'œil hésitant derrière moi, vers le chemin par lequel nous étions arrivés. Fred était sans doute à mi-parcours de Vancouver, à l'heure qu'il était. Riley n'avait même pas posé de questions à son sujet. Son talent fonctionnait peut-être encore.

— Diego est déjà là-bas, Bree, a repris Riley avec des accents désespérés. Il va participer au premier assaut. Tu n'as donc pas senti sa piste ? Tu ne t'es pas assez approchée ?

— Ah bon ? ai-je murmuré, paumée. Diego est là-bas ?

— Raoul doit l'avoir rejoint, à présent. Si tu te dépêches, tu pourras l'aider à sauver sa peau.

Durant une seconde interminable, nous nous

sommes dévisagés, puis j'ai commencé à avancer vers le sud, vers Raoul.

— Brave petite, m'a félicitée Riley. Je pars *La* chercher, et nous revenons très vite terminer le boulot avec vous. Vous avez complètement pris le coup, les enfants. Dépêche, tout risque d'être fini avant que tu ne sois sur place !

Après ça, il a détalé dans une direction perpendiculaire à notre trajet initial. En constatant qu'il n'avait marqué aucune hésitation quant au chemin à emprunter, j'ai serré les mâchoires. Il aurait donc menti jusqu'au bout.

Malheureusement, je n'avais guère de solution. Je suis repartie en courant droit devant moi. Diego, je devais trouver Diego. Le tirer de là si nécessaire. Nous rattraperions Fred. Ou nous partirions de notre côté. Le temps pressait. Je lui expliquerais que Riley avait raconté des bobards, qu'il n'avait pas la moindre intention de participer à la bataille qu'il avait déclenchée, que nous n'avions plus aucune raison de lui obéir.

J'ai flairé la piste de l'humaine, puis celle de Raoul. Pas celle de Diego. Allais-je trop vite ? L'arôme de la fille m'empêchait-il de humer correctement ? Mon esprit était à moitié obsédé par la chasse vaine que nous menions. Certes, nous finirions par mettre la main sur le dessert, mais serions-nous alors capables de nous battre ensemble ? Non. Nous nous déchirerions entre nous pour l'avoir.

C'est alors que j'ai perçu des grognements, des cris et des piaillements. J'ai compris que l'assaut avait commencé, et que j'arrivais trop tard pour intercepter Diego. J'ai accéléré le mouvement. Il était peut-être encore possible de le sauver.

L'odeur de la fumée, épaisse et douceâtre, typique des vampires incendiés, a voleté jusqu'à mes narines, portée par le vent. Le fracas était plus violent. Est-ce que tout était déjà terminé ? Allais-je découvrir notre clan victorieux et Diego m'attendant ?

J'ai bondi à travers les volutes pour déboucher sur un vaste pré herbeux. J'ai sauté par-dessus un rocher, m'apercevant au moment où je le franchissais qu'il s'agissait d'un torse privé de sa tête. J'ai balayé des yeux le champ de bataille. Des morceaux de vampires jonchaient le sol absolument partout, et un immense bûcher expédiait ses tourbillons mauves dans le ciel ensoleillé. Sous ce rideau brumeux, des silhouettes étincelantes se déplaçaient à toute vitesse et s'empoignaient, cependant que les bruits de corps déchirés se poursuivaient à l'infini.

Je n'ai cherché qu'une chose : les boucles brunes de Diego. Aucun de ceux que j'apercevais n'avait de cheveux aussi sombres. Il y avait bien un très grand vampire doté d'une tignasse presque noire, mais il était trop costaud. Je l'ai vu arracher la tête de Kevin et la jeter au feu avant de sauter sur le dos de quelqu'un d'autre. Où était Jen ? Une seconde silhouette était brune elle aussi, sauf que, cette fois, elle était trop petite pour appartenir à Diego. Elle se déplaçait avec une telle rapidité que je n'ai pas réussi à déterminer si c'était une fille ou un garçon.

De nouveau, j'ai inspecté les alentours. J'avais le sentiment affreux d'être complètement à découvert. J'ai tenté d'analyser la situation. Il n'y avait pas assez de vampires ici, même en comptant ceux qui étaient morts, pour faire le compte. Je n'ai repéré aucun des membres du groupe de Kristie. Bien des nôtres avaient sans doute été déjà brûlés. La plupart de ceux qui étaient encore debout m'étaient inconnus. Un blond m'a jeté un coup d'œil et a croisé mon regard. Ses prunelles avaient des éclats dorés, sous le soleil.

Nous étions en train de perdre. Gravement.

J'ai commencé à reculer vers la lisière. Pas assez vite cependant, car je continuais à chercher Diego. Il n'était pas ici. Rien n'indiquait qu'il y soit venu. Je n'avais pas humé sa trace, alors que je reniflais l'odeur de la plupart des sbires de Raoul, ainsi que celle des étrangers. Je m'étais obligée à examiner les restes. Aucun n'appartenait à Diego. J'aurais identifié ne serait-ce qu'un de ses doigts.

Tournant les talons, je me suis ruée dans la forêt pour de bon, absolument certaine que la présence supposée de Diego n'était qu'un énième mensonge de Riley. Or si Diego n'était pas là, c'est qu'il était déjà mort. Cette réalité s'est imposée à moi avec tellement d'évidence que j'ai deviné que, inconsciemment, je m'en doutais depuis un bon moment. En vérité, depuis l'instant où Riley avait franchi la porte de la cave sans Diego. Ce dernier avait bel et bien été supprimé.

J'avais parcouru quelques pas sous le couvert des arbres quand une force pareille à une boule de démolition m'a heurtée par-derrière, m'envoyant rouler à terre. Un bras s'est glissé sous mon menton.

— Pitié ! ai-je hoqueté.

Je pensais : « Pitié ! Tuez-moi vite ! »

Le bras a hésité. Je n'ai pas lutté, en dépit de mes instincts qui me dictaient de mordre, de griffer, de déchirer en mille morceaux mon adversaire. La partie la plus saine de mon cerveau me soufflait que ça ne marcherait pas. Riley avait également menti quand il avait insisté sur la faiblesse de ces vampires plus âgés. Nous n'avions eu aucune chance, dès le départ. De toute façon, si j'avais eu un moyen de l'emporter sur celui-ci, je n'aurais pas été en mesure d'agir. Diego était mort, une certitude aveuglante qui avait sapé en moi toute velléité de résistance.

Soudain, je me suis retrouvée à voler au-dessus du sol avant de m'écraser contre un tronc et de m'affaler sur la mousse. J'aurais dû tenter de m'enfuir, mais

Diego était mort. Je ne parvenais pas à surmonter le choc de cette découverte.

Le vampire blond que j'avais remarqué dans le pré me toisait avec intensité, tendu, prêt à bondir. Il paraissait doué, bien plus expérimenté que Riley. Pourtant, il se retenait. Il n'était pas fou, contrairement à Raoul ou à Kristie. Il se contrôlait parfaitement.

— Pitié, ai-je répété, désireuse qu'il en finisse. Je refuse de me battre.

Bien qu'il soit toujours à l'affût, son expression a changé. Il m'a regardée d'une façon qui m'a en partie échappé. Son visage reflétait une grande sagesse, ainsi qu'autre chose. De la compassion ? De la miséricorde, pour le moins.

— Moi non plus, enfant, a-t-il répondu d'une voix calme et gentille. Nous ne faisons que nous défendre.

Il émanait une telle franchise de ses étranges prunelles jaunes que je me suis demandé comment j'avais pu gober les histoires de Riley. Du coup, je me suis sentie... coupable. Ce clan n'avait peut-être jamais voulu nous reprendre Seattle. Comment croire à présent à la moindre des choses qu'on m'avait racontées ?

— Nous ne savions pas, ai-je expliqué, honteuse. Riley a menti. Je suis désolée.

Il a tendu l'oreille, et je me suis rendu compte

que le champ de bataille s'était apaisé. La bagarre s'était achevée. Si j'avais nourri des doutes quant à l'identité des vainqueurs, ils auraient été effacés une seconde plus tard, car une femelle aux cheveux châtains ondulés et aux yeux jaunes a rejoint celui qui m'avait plaquée au sol.

— Carlisle ? a-t-elle murmuré sur un ton incertain en me contemplant.

— Elle ne veut pas se battre, a-t-il répondu.

La femme a effleuré son bras. Il se tenait encore en position d'attaque.

— Elle a si peur, Carlisle. Ne pourrions-nous pas…

Il l'a regardée, puis s'est redressé, même si j'ai bien vu qu'il restait sur ses gardes.

— Nous n'avons pas envie de te faire du mal, a repris la femme à mon adresse. (Sa voix était douce et apaisante.) Nous n'avions rien contre aucun d'entre vous.

— Je suis désolée, ai-je de nouveau chuchoté.

J'étais impuissante face au bazar qui régnait dans ma tête. Diego était mort, et c'était l'essentiel. Le plus dévastateur. Cela mis à part, les hostilités étaient terminées, mon clan avait perdu, mes ennemis, gagné. Ma horde décimée avait été constituée de gens qui auraient pourtant adoré assister à ma crémation, alors que mes adversaires s'adressaient à moi avec une bonté qu'ils n'avaient aucune raison de me montrer. Par-dessus tout, je me sentais plus en sécurité avec ces inconnus que je n'avais jamais eu l'impression de l'être en compagnie de Raoul et de Kristie. J'étais *soulagée* que ces deux-là soient morts, d'ailleurs. Je nageais en pleine confusion.

— Te rends-tu, enfant ? m'a demandé Carlisle. Si tu ne tentes pas de t'en prendre à nous, nous promettons de t'épargner.

Je l'ai cru.

— Oui, ai-je soufflé. Oui, je me rends. Je ne souhaite de mal à personne.

Il m'a tendu une main encourageante.

— Viens. Laissons un moment à notre famille pour se regrouper, puis nous aurons des questions à te poser. Réponds-y avec honnêteté, et tu n'auras rien à craindre.

Je me suis levée lentement, surveillant mes mouvements afin qu'aucun ne puisse être interprété comme une menace.

— Carlisle ? a appelé une voix masculine.

Sur ce, un nouveau vampire aux yeux jaunes nous a rejoints. La confiance que j'avais éprouvée auprès des deux premiers s'est immédiatement dissipée. Comme l'autre, il était blond, mais plus grand et plus mince. Sa peau était intégralement couverte de cicatrices, surtout au niveau de son cou et de sa mâchoire. Quelques petites marques récentes s'étalaient sur ses bras, mais le reste ne datait pas d'aujourd'hui. Ce type avait participé à plus de batailles rangées que j'étais capable d'en compter, et il était évident qu'il les avait toutes remportées. Ses prunelles fauves luisaient, et sa démarche dénotait la violence contenue à grand-peine d'un lion en colère.

Dès qu'il m'a aperçue, il a reculé, prêt à me sauter dessus.

— Jasper ! a lancé Carlisle.

L'interpellé s'est arrêté net et a contemplé l'autre avec stupeur.

— Qu'y a-t-il ?

— Elle ne veut pas se battre. Elle s'est rendue.

Le vampire aux multiples scarifications a plissé le front et, tout à coup, j'ai été envahie par une vague d'agacement inattendue dont j'ignorais complètement l'origine.

— Carlisle, je… Pardonne-moi, mais ce n'est pas envisageable. Nous ne pouvons nous permettre que quiconque nous associe à ces nouveau-nés lorsque les Volturi arriveront. As-tu conscience du danger auquel cela nous exposerait ?

Si je n'ai pas bien compris ses paroles, j'en ai saisi assez pour deviner qu'il voulait me tuer.

— Ce n'est qu'une enfant, Jasper ! a protesté la femme. Nous n'allons tout de même pas l'assassiner de sang-froid !

Il était étrange de l'entendre s'exprimer comme si elle et moi étions des humaines, comme si le meurtre était une mauvaise chose, une chose évitable.

— C'est notre famille qui est en jeu, Esmé. Il est hors de question de leur permettre de croire que nous avons enfreint la loi.

Esmé s'est placée entre moi et celui qui désirait tant m'éliminer. De manière inconcevable, elle m'a tourné le dos.

— Non, a-t-elle décrété. Je ne l'autoriserai pas.

Carlisle m'a adressé un coup d'œil anxieux. Il m'est devenu évident qu'il tenait beaucoup à cette femme. Comme lui, je me serais méfiée de tout vampire se trouvant derrière Diego. Pour le rassurer, je me suis efforcée d'apparaître le plus docile possible.

— Je pense que le risque mérite d'être couru, Jasper, a-t-il dit lentement. Nous ne sommes pas les Volturi. Nous suivons leurs règles, mais nous ne supprimons pas de vie à la légère. Nous nous expliquerons.

— Ils vont croire que nous avons fabriqué ces nouveau-nés pour nous défendre.

— Ce qui n'est pas vrai. Et quand bien même, rien n'a transpiré ici. Les débordements ne se sont produits qu'à Seattle. Aucune loi n'interdit de créer des vampires, à condition de les contrôler.

— C'est périlleux.

Carlisle a effleuré l'épaule du grand blond.

— Nous ne pouvons tuer cette enfant, Jasper.

Ce dernier a fusillé du regard l'homme aux yeux doux et, soudain, j'ai éprouvé de la colère. Il n'allait quand même pas attaquer ce bon vampire ni la femme qu'il aimait ?! Mais ensuite, Jasper a poussé un soupir, et j'ai deviné qu'il cédait. Ma fureur s'est évaporée.

— Ça ne me plaît pas, a-t-il lâché, plus calme cependant. Au moins, confiez-m'en la garde. Vous deux ignorez comment traiter quelqu'un qui a vécu dans la sauvagerie aussi longtemps.

— Bien sûr, Jasper, a acquiescé Esmé. Mais sois gentil.

Il a levé les yeux au ciel.

— Il faut que nous rejoignions les autres. D'après Alice, nous n'avons pas beaucoup de temps.

Carlisle a hoché la tête. Tendant la main à Esmé, il l'a entraînée dans le champ.

— Toi ! m'a lancé Jasper, le visage de nouveau furibond. Viens. Et évite les gestes brusques, sinon c'est moi qui te massacrerai.

De nouveau, une vague de colère s'est emparée de moi, et j'ai failli montrer les dents et grogner. Sauf que j'ai eu le pressentiment que c'était justement l'excuse qu'il attendait.

— Ferme les yeux, m'a-t-il ordonné ensuite, après avoir réfléchi un instant.

J'ai hésité. Avait-il décidé de me tuer quand même, finalement ?

— Obéis !

Serrant les mâchoires, je me suis exécutée. Du

coup, je me suis sentie deux fois plus vulnérable qu'avant.

— Suis le son de ma voix et n'ouvre pas les paupières. Tu résistes, tu meurs. Pigé ?

J'ai acquiescé tout en m'interrogeant sur ce qu'il ne voulait pas que je voie. Qu'il ait un secret à cacher m'a rassurée. Ce n'aurait pas été le cas s'il avait eu l'intention de me liquider.

— Par ici.

Je marchais lentement derrière lui, prenant soin de ne lui fournir aucune occasion de m'attaquer. Il me guidait avec considération, évitant de me précipiter dans les troncs. C'était déjà ça. Lorsque nous avons débouché dans le pré, j'ai perçu le changement des sons. La sensation du vent était différente, et l'odeur de mon clan en train de se consumer plus forte. J'ai senti la chaleur du soleil sur mon visage, et l'intérieur de mes paupières s'est éclairci au fur et à mesure que mon corps se mettait à étinceler.

Jasper m'a rapprochée du crépitement étouffé des flammes. J'étais si près que j'ai eu la sensation de la fumée caressant ma peau. J'étais consciente qu'il aurait pu en finir avec moi à n'importe quel moment ; n'empêche, la proximité du bûcher m'a rendue plus nerveuse encore.

— Assieds-toi ici. Garde les yeux fermés.

Le sol était tiède sous l'effet conjugué du soleil et du feu. Parfaitement immobile, j'ai essayé de paraître inoffensive, même si j'ai deviné que mon gardien me surveillait avec dureté, ce qui n'a pas facilité mes efforts pour rester tranquille. Bien que je ne sois pas furieuse après ces vampires, dont je croyais vraiment qu'ils s'étaient seulement défendus, j'étais agitée par d'étranges bouffées de rage. Le phénomène était presque extérieur à moi, comme s'il était un écho du massacre qui venait d'avoir lieu.

Toutefois, la colère ne m'a pas rendue stupide. J'étais trop triste pour ça, malheureuse comme les pierres. Diego continuait à me hanter, je n'arrivais pas à ne pas penser à la façon dont il avait dû mourir. J'étais certaine qu'il n'aurait pas révélé de lui-même nos secrets à Riley, ces secrets qui m'avaient donné une raison de faire confiance à notre chef jusqu'à ce qu'il soit trop tard. Je me suis remémoré les traits de Riley, l'expression lisse et froide qu'il avait arborée lorsqu'il avait menacé de châtier ceux d'entre nous qui lui désobéiraient. Ses paroles macabres et bizarrement détaillées ont résonné dans mon crâne : « quand je vous mènerai à Elle… et quand je vous tiendrai pendant qu'Elle vous arrachera les jambes avant de vous brûler lentement, *très lentement*, les doigts, les oreilles, les lèvres, la langue et tout appendice superflu, *un à un*. »

Je me rendais compte à présent qu'il nous avait offert une description du supplice infligé à Diego.

Cette nuit-là, j'avais eu la certitude que quelque

chose avait changé chez Riley. C'était l'exécution de Diego qui l'avait transformé, endurci. Je ne croyais plus qu'à une des choses qu'il avait dites : il avait apprécié Diego plus que nous autres. Il l'avait aimé, même. Pourtant, il avait assisté à sa mise à mort par notre créateur. Sans nul doute, il y avait participé. Il avait tué Diego avec Elle.

Je me suis demandé quel degré de souffrance j'aurais éprouvé si j'avais dû trahir Diego. Très élevé, à mon avis. J'étais persuadée que ça avait été tout aussi douloureux pour lui de me trahir. J'en étais malade. J'aurais voulu effacer de ma tête les images de Diego hurlant sa peine ; malheureusement, elles persistaient à s'accrocher.

Soudain, des ululements ont retenti alentour.

Mes paupières ont papillonné, mais Jasper a grogné, et je les ai aussitôt serrées bien fort. Au demeurant, je n'avais rien vu, sinon de lourdes volutes de fumée lavande.

Il y a eu des cris et d'étranges feulements sauvages. Puissants, nombreux. Je n'imaginais pas une bouche se tordre de manière à émettre ce genre de bruits. Ignorer leur origine les rendait plus effrayants encore. Ces Yeux Jaunes étaient tellement différents de nous. Enfin, de moi, puisque j'étais la seule à avoir survécu. Riley et notre créateur avaient sûrement décampé depuis longtemps. Des noms ont retenti. « Jacob, Leah, Sam. » De nombreuses voix s'exprimaient à travers les hurlements qui se poursuivaient. Il va de soi que Riley nous avait également menti au sujet du nombre de vampires que nous étions censés affronter.

Peu à peu, les braillements se sont estompés, laissant place à un unique gémissement inhumain qui m'a fait grincer des dents. Je voyais Diego clairement dans ma tête, et ce glapissement atroce ressemblait à ses cris. C'est alors que Carlisle a parlé, dominant le charivari ambiant. Il suppliait qu'on l'autorise à examiner quelque chose.

— S'il vous plaît, laissez-moi voir. Je vous en prie, permettez-moi d'aider.

Si je n'ai entendu personne lui répondre, j'ai eu la forte impression qu'il ne convainquait pas ses interlocuteurs. Le piaillement est monté dans des aigus insoutenables et, brusquement, Carlisle a remercié avec ferveur. J'ai perçu pas mal d'agitation, produite par de multiples corps, puis des pas pesants et nombreux se sont rapprochés.

J'ai tendu l'oreille. Soudain, un phénomène inattendu, inconcevable m'est parvenu. Accompagnant des respirations lourdes – jamais personne dans mon clan n'avait respiré ainsi –, des dizaines de coups sourds retentissaient. On aurait dit... des battements de cœur. Absolument pas humains, cependant, un son que je connaissais bien. J'ai reniflé, mais le vent soufflait de la direction opposée, et je n'ai senti que la fumée. Brusquement, alors que je ne m'y attendais pas du tout, une chose m'a effleurée puis s'est plaquée de chaque côté de ma tête.

Paniquée, j'ai ouvert les yeux et je me suis débattue, tentant d'échapper à cet emprisonnement. Aussitôt, j'ai croisé le regard d'avertissement de Jasper, à cinq centimètres de mon visage.

— Ça suffit ! a-t-il aboyé en me repoussant brutalement sur les fesses.

Je n'ai saisi que sa voix et j'ai compris qu'il avait plaqué ses mains sur mes oreilles.

— Ferme les yeux, m'a-t-il de nouveau ordonné.

Il s'était sans doute exprimé sur un ton normal, même si ses paroles me sont arrivées étouffées. Tâchant de contenir mon affolement, j'ai obéi. Il y avait certaines choses que je ne devais pas entendre non plus. Je m'en remettrais, si telle était la condition de ma survie.

Derrière mes paupières, j'ai distingué durant une seconde les traits de Fred. Il m'avait promis de m'attendre une journée. Tiendrait-il parole ? J'aurais voulu lui raconter la vérité au sujet des Yeux Jaunes, et combien il semblait exister des détails que nous ignorions. Évoquer ce monde que nous ne connaissions vraiment pas du tout. Il serait intéressant de l'explorer. Surtout en compagnie de quelqu'un qui était capable de me protéger en me rendant invisible.

Mais Diego était mort. Il ne viendrait pas retrouver Fred avec moi. Cela rendait l'avenir peu alléchant.

Certains sons liés aux événements extérieurs me parvenaient encore, surtout des hurlements, des voix. Quels qu'aient été les drôles de battements que j'avais perçus tout à l'heure, ils étaient à présent trop assourdis pour que je les analyse. Lorsque, un peu plus tard, Carlisle a pris la parole, j'ai distingué des bribes de phrases : « Vous devez… d'ici, maintenant. Si nous pouvions vous aider, nous le ferions, mais nous sommes obligés de rester. »

Il y a eu un feulement, dénué de menace cependant, ce qui m'a étonnée. Des chuchotements ont suivi, un échange entre Carlisle, Esmé et quelqu'un que je ne connaissais pas. J'aurais apprécié de pouvoir humer une odeur – ma cécité conjuguée à ma surdité relative me poussait à traquer n'importe quelle source sensorielle d'information. Malheureusement, je ne sentais que l'horrible fumée douceâtre.

Une nouvelle voix a résonné, plus aiguë et plus distincte que les précédentes, au point que j'ai déchiffré ses mots presque facilement et que j'ai identifié une fille.

— Encore cinq minutes. Et Bella ouvrira les yeux dans trente-sept secondes. Je suis certaine qu'elle nous entend déjà.

J'ai tâché de donner un sens à ces paroles. Quelqu'un d'autre que moi avait-il été obligé de garder les paupières closes ? Ou celle qui avait parlé croyait-elle que je m'appelais Bella ? Je n'avais dit mon prénom à personne. Une fois encore, j'ai lutté pour tenter de humer ne serait-ce qu'un petit quelque chose. Nouveaux marmonnements. Il m'a semblé que quelqu'un se lançait dans un grand discours, sinon qu'aucun timbre ne m'est parvenu. Impossible d'en être sûre, avec les mains de Jasper soigneusement collées sur mes oreilles.

— Trois minutes, a lancé la voix haut perchée.

Jasper m'a lâchée.

— Je te conseille d'ouvrir les yeux, maintenant, m'a-t-il dit, à quelques pas de là.

Sa façon de s'exprimer m'a fait peur. J'ai vivement inspecté les environs, en quête du danger que ses intonations m'avaient laissée supposer. Les sombres volutes obscurcissaient toute une partie de mon champ de vision. Près de moi, Jasper fronçait les sourcils. Il serrait les dents et me contemplait avec une expression qui ressemblait à… de la frayeur. Pas qu'il me craigne, moi ; c'était plutôt comme s'il redoutait qu'un événement n'arrive *à cause* de moi. Je me suis alors souvenue de ce qu'il avait dit peu auparavant, du danger dans lequel je les mettais par rapport à un machin appelé Volturi. Je me suis demandé ce que c'était, j'avais du mal à imaginer ce qui pouvait ébranler ce vampire couvert de cicatrices.

Derrière lui, quatre autres vampires formaient une rangée lâche. Ils me tournaient le dos. Parmi eux, Esmé. Elle était flanquée d'une grande femme blonde, d'une toute petite brune et d'un mâle aux cheveux noirs si costaud qu'il faisait peur à voir – c'était celui qui avait tué Kevin. L'espace d'un instant, je me le suis représenté s'en prenant à Raoul, une image bizarrement agréable.

Trois autres se tenaient au-delà de l'armoire à glace. Avec lui dans le chemin, je ne distinguais pas très bien ce qu'ils fabriquaient. Carlisle était agenouillé, à côté d'un vampire mâle à la chevelure d'un roux sombre. Une silhouette était allongée par terre, dont je n'apercevais que le jean et les bottines marron. Soit une femelle soit un jeune mâle. Carlisle et le jeune étaient-ils en train de réparer celui-là ?

Au total, cela donnait donc huit Yeux Jaunes, sans compter les ululements de tout à l'heure, quels que soient les étranges vampires qui les avaient produits. J'avais dénombré au moins huit voix supplémentaires, ce qui faisait seize, peut-être plus. Plus de deux fois ce que Riley nous avait promis. Je me suis surprise à espérer férocement que les Manteaux Gris l'attraperaient et lui infligeraient de sérieuses souffrances.

Le vampire étendu au sol, une fille, me suis-je rendu compte, s'est relevée, lentement, gauchement, à croire qu'elle était une humaine maladroite. À cet instant, le vent a tourné, renvoyant la fumée vers Jasper et moi. Durant une seconde, tout a disparu, sauf lui. Bien que je ne sois plus aussi aveugle qu'avant, j'ai éprouvé une anxiété plus forte, soudain. Comme si je sentais l'angoisse saigner de Jasper.

De nouveau, la brise légère a viré de cap, et j'ai pu tout voir et tout humer.

Sifflant furieusement, Jasper m'a repoussée par terre. Sans m'en rendre compte, je m'étais accroupie, prête à l'attaque.

Car c'était elle : l'humaine que j'avais traquée un peu plus tôt. L'odeur sur laquelle tout mon corps s'était concentré. Le parfum sucré et humide du sang le plus exquis que j'aie jamais pourchassé. J'ai eu l'impression que ma bouche et ma gorge étaient en feu.

Sauvagement, je me suis accrochée à ma raison. Je me suis focalisée sur le fait que Jasper n'attendait que ça, que je bondisse une nouvelle fois pour me tuer. Malheureusement, je n'arrivais pas à m'y consacrer tout entière. J'allais me déchirer en deux à force d'essayer de rester assise.

L'humaine appelée Bella m'a contemplée avec des yeux bruns étonnés. La regarder empirait les choses. Je distinguais le sang qui pulsait sous sa peau fine. J'ai tenté de détourner la tête, en vain : mes prunelles revenaient sans cesse se poser sur elle. Le roux s'est adressé à elle à voix basse.

— Elle s'est rendue. C'est la première fois que je vois ça. Seul Carlisle a pu le lui proposer. Jasper désapprouve.

Carlisle avait dû leur expliquer la situation quand j'avais eu les oreilles bouchées. Le vampire enlaçait la fille qui, de son côté, appuyait ses mains sur son torse. Sa gorge se trouvait à seulement quelques centimètres de sa bouche à lui, mais elle ne paraissait pas du tout effrayée. Et lui n'avait pas l'air d'être en chasse. J'avais tenté d'imaginer un clan doté d'une humaine domestique, sauf que ceci était loin de ce qui m'avait alors traversé l'esprit. Si elle avait été vampire, ces deux-là seraient sortis ensemble.

— Il va bien ? a chuchoté la fille en désignant Jasper.

— Oui, a répondu le vampire auburn. Juste le venin qui brûle.

— Il a été mordu ? s'est-elle exclamée, apparemment choquée.

Qui était cette nana ? Pourquoi les Yeux Jaunes lui permettaient-ils de les accompagner ? Pourquoi ne l'avaient-ils pas encore tuée ? Pourquoi semblait-elle aussi à l'aise avec eux, comme si elle ne les craignait pas ? Elle donnait l'impression de faire partie de ce monde sans pour autant en saisir les réalités. Évidemment que Jasper avait été mordu ! Il venait de se battre contre tout mon clan – et de le détruire.

Cette fille se doutait-elle seulement de ce que nous étions ?

Beurk ! La brûlure de ma gorge était insoutenable. J'ai tenté de ne pas penser à la rincer avec son sang, mais le vent me soufflait son odeur au visage ! Il était trop tard pour garder la tête froide. J'avais flairé ma proie, et rien ne changerait cela.

— Il voulait être partout à la fois, a précisé le roux. Pour épargner du travail à Alice. (Il a secoué le menton en contemplant la petite brune.) Qui se débrouille très bien toute seule.

Le vampire répondant au prénom d'Alice a jeté un coup d'œil peu amène à Jasper.

— Espèce d'idiot trop protecteur ! a-t-elle décrété de sa voix limpide de soprano.

Jasper a croisé son regard avec un demi-sourire, l'air d'oublier mon existence durant un instant. J'ai failli ne pas réussir à lutter contre mon instinct qui me poussait à profiter de ce relâchement pour sauter sur l'humaine. Cela m'aurait pris moins d'une seconde, et son sang chaud, ce sang que j'entendais battre dans son cœur, aurait étanché ma soif dévorante. Elle était si *près*...

Le rouquin m'a lancé un regard d'avertissement féroce, et j'ai compris que je mourrais si j'essayais d'attaquer l'humaine. Mais ma gorge était si douloureuse que j'ai cru que j'allais mourir si je ne m'y risquais pas. J'ai poussé un hurlement de souffrance et de frustration. Jasper a grondé, et je me suis obligée à rester tranquille, bien que l'arôme de la fille ait des allures de main géante qui m'arrachait au sol. Jamais je ne m'étais frottée à cela – cesser de me nourrir une fois que j'étais partie pour chasser. J'ai planté mes doigts dans la terre, en quête d'une prise à laquelle me retenir. Sans résultat. Jasper s'est accroupi. J'avais beau être consciente que j'étais à deux secondes de la mort, je n'ai pas réussi à contenir mes idées sanguinaires.

Soudain, Carlisle s'est interposé, retenant Jasper par le bras. Il m'a couvée de ses yeux bons et sereins.

— As-tu changé d'avis, jeune fille ? m'a-t-il demandé. Nous ne tenons pas à te détruire, mais nous n'hésiterons pas si tu ne te maîtrises pas.

— Comment arrivez-vous à le supporter ? ai-je gémi, suppliante. Je la *veux*.

J'ai toisé l'humaine, regrettant ardemment que la distance qui nous séparait ne puisse disparaître d'un coup de baguette magique. Mes ongles ont crocheté la terre caillouteuse.

— Tu dois le tolérer, a répondu Carlisle avec gravité. Tu dois apprendre à exercer ton contrôle. C'est possible, c'est aussi la seule façon de sauver ta vie.

Si être capable de tolérer l'humaine à l'instar de ces drôles de vampires était mon unique espoir de survie, j'étais condamnée d'avance. La brûlure était trop forte. Et puis, j'étais partagée quant à l'idée de survie. Je ne voulais pas mourir, je ne voulais pas souffrir, mais à quoi bon ? Tous les autres étaient morts. Diego aussi, et ce depuis des jours.

Son nom était sur mes lèvres, j'ai presque manqué de le prononcer à voix haute. À la place, je me suis agrippé la tête à deux mains en cherchant à penser à des choses indolores. Pas à la fille, pas à Diego non plus. Ça n'a pas très bien fonctionné.

— Ne vaudrait-il pas mieux que nous nous éloignions d'elle ? a grossièrement murmuré l'humaine, brisant ma concentration.

Je me suis tournée vers elle. Sa peau était si fine, si douce. Son pouls battait au niveau de son cou.

— Nous sommes obligés de rester ici, a répondu le vampire auquel elle s'accrochait. *Ils* sont au nord de la prairie, à présent.

Ils ? J'ai regardé vers le nord, n'ai vu que de la fumée. Le rouquin voulait-il parler de Riley et de mon créateur ? Une nouvelle vague de panique m'a submergée, suivie par une petite bouffée d'espoir. Il était impossible qu'Elle et Riley résistent à ces Yeux Jaunes qui avaient éliminé tant d'entre nous, non ? Même si les vampires hurleurs étaient partis, rien que le seul Jasper semblait capable de tuer ces deux traîtres.

Ou alors, c'était une allusion à ce mystérieux Volturi.

Une fois encore, le vent s'est amusé à me souffler l'odeur de la fille en plein visage, et je l'ai vrillée de mes yeux avides. Elle a croisé mon regard, mais son expression était différente de ce qu'elle aurait dû être. Alors que mes lèvres étaient retroussées sur mes dents, alors que je tremblais sous l'effort pour ne pas me ruer sur elle, elle n'avait pas l'air d'avoir peur. Elle paraissait plutôt fascinée. Comme si elle avait envie de discuter avec moi, de me poser une question parce que ma réponse l'intéressait.

Tout à coup, Carlisle et Jasper se sont éloignés du bûcher – et de moi – pour resserrer les rangs avec les autres et l'humaine. Tous se sont mis à fixer l'horizon, au-delà de moi et des volutes mauves. Ainsi, ce qui les effrayait était plus proche de moi que d'eux. Je me suis blottie plus près du feu, en dépit des flammes. Devais-je essayer de m'enfuir ? Pour aller où ? Rejoindre Fred ? Rester toute seule ? Trouver Riley et lui faire payer ce qu'il avait infligé à Diego ?

Tandis que je tergiversais, assez séduite par la dernière option, ma chance est passée. J'ai perçu des mouvements du côté du nord et j'ai compris que j'étais désormais prise en sandwich entre les Yeux Jaunes et ce qui arrivait, quoi que ce fût.

— Hum ! a marmonné une voix morte, de l'autre côté du rideau de fumée.

Cette unique syllabe m'a aussitôt renseignée sur

l'identité des visiteurs. Si je n'avais pas été pétrifiée par une terreur irrationnelle, j'aurais déguerpi.

C'étaient les Manteaux Gris.

Qu'est-ce que ça signifiait ? Une nouvelle bataille allait-elle commencer ? Je savais que les nouveaux venus avaient désiré que mon créateur réussisse à détruire les Yeux Jaunes. Elle avait échoué, cependant. Cela voulait-il dire qu'ils comptaient La tuer ? À moins qu'ils n'éliminent Carlisle, Esmé et leur clan ? Si j'avais été en position de choisir, je n'aurais pas hésité quant à ceux qu'il fallait détruire, et ce n'aurait pas été mes geôliers.

Les Manteaux Gris se sont matérialisés comme des fantômes et se sont postés devant les Yeux Jaunes. Aucun n'a regardé dans ma direction. Je ne bougeais pas d'un poil. Comme la dernière fois, ils n'étaient que quatre. Que les autres soient sept ne faisait pas de différence du tout, cependant. J'ai deviné qu'ils étaient aussi anxieux que l'avaient été Riley et mon créateur en présence de ces Manteaux Gris. Si j'étais incapable de voir ce qu'ils avaient de plus par rapport aux vampires normaux, je l'ai *senti* sans le moindre doute. Ces types étaient les justiciers, ils ne perdaient jamais.

— Bienvenue, Jane, a dit celui qui enlaçait la fille.

Ils se connaissaient donc. Toutefois, le vampire auburn ne s'était pas exprimé d'une voix amicale. Pas d'une voix faiblarde et désireuse de plaire non plus, contrairement à Riley, ni furieuse et terrifiée, comme mon créateur. La sienne était juste froide et polie, ne trahissait nulle surprise. Fallait-il en conclure que les Manteaux Gris étaient les fameux Volturi ?

La petite femelle qui conduisait la délégation, Jane apparemment, a lentement balayé du regard les sept Yeux Jaunes et l'humaine avant de finalement tourner la tête vers moi. Cela m'a fourni l'occasion de découvrir son visage. Elle était plus jeune que moi, beaucoup plus vieille aussi, ai-je deviné. Ses prunelles avait la couleur veloutée des roses rouge foncé. Consciente qu'il était trop tard pour me sauver, j'ai baissé la tête, me cachant derrière mes mains. Si je démontrais avec évidence que je refusais de me battre, Jane me traiterait peut-être comme Carlisle l'avait fait. Même si je n'avais guère d'espoir.

— Je ne comprends pas, a dit Jane, dont le ton monocorde a trahi un soupçon d'agacement.

— Elle s'est rendue, a expliqué le roux.

— Pardon ? a grondé Jane.

Regardant à travers mes doigts, j'ai vu les Manteaux Gris échanger des coups d'œil. Le rouquin avait affirmé n'avoir jamais assisté à une reddition. C'était également le cas des Manteaux Gris, sans doute.

— Carlisle lui a laissé le choix, a poursuivi l'autre.

Il semblait servir de porte-parole à son clan, alors que je soupçonnais Carlisle d'en être le chef.

— Ceux qui enfreignent les règles n'ont pas le choix, a rétorqué Jane de sa voix plate.

Si mes os donnaient l'impression d'être de glace, je n'étais plus en proie à la panique. Mon destin paraissait désormais scellé.

— La décision t'appartient, est doucement intervenu Carlisle. Dans la mesure où elle était prête à renoncer à nous attaquer, je n'ai pas jugé utile de la détruire. Personne ne l'a éduquée.

Il avait beau s'être exprimé avec naturel, j'ai eu l'impression qu'il plaidait ma cause. Sauf que, comme il me l'avait annoncé en personne, mon avenir ne dépendait pas de lui.

— Voilà qui est hors de propos, a d'ailleurs confirmé Jane.

— À ta guise.

Jane l'a toisé d'un air qui mélangeait stupeur et énervement, puis elle a secoué la tête, et ses traits sont redevenus indéchiffrables.

— Aro espérait que nous irions assez à l'ouest pour te rencontrer, Carlisle, a-t-elle repris. Il te salue.

— Merci de lui retourner la politesse.

Jane a souri.

— Naturellement.

Ensuite, elle s'est retournée vers moi. Son sourire s'attardait en partie sur ses lèvres.

— Il semble que vous ayez accompli notre tâche à notre place, aujourd'hui... enfin, presque. Simple curiosité professionnelle de ma part, mais combien étaient-ils ? Ils ont fait pas mal de dégâts à Seattle.

Elle parlait de tâche, de professionnalisme. J'avais donc eu raison : son métier était de punir. Auquel cas, il existait des règles. Carlisle l'avait évoqué, au demeurant. « Nous suivons leurs règles. » Et aussi : « Aucune loi n'interdit de créer des vampires, à condition de les contrôler. » Riley et mon créateur avaient eu peur mais n'avaient pas paru franchement étonnés quand les Manteaux Gris, ces Volturi, avaient surgi. Ils connaissaient le règlement, ils savaient qu'ils l'avaient enfreint. Pourquoi ne nous avaient-ils rien dit, alors ? D'autant que les Volturi étaient plus nombreux que ces quatre-là. Il y avait un Aro, et bien d'autres encore, sans doute. Pour que tout le monde les craigne autant, ils devaient être très nombreux.

— Dix-huit, celle-ci comprise, a répondu Carlisle.

Un murmure à peine audible a parcouru la rangée des Manteaux Gris.

— Dix-huit ? a répété Jane, déstabilisée.

Notre créateur ne lui avait pas confié ce détail. Jane était-elle vraiment surprise ou feignait-elle de l'être ?

— Des jeunes, non entraînés, a précisé Carlisle.

Non entraînés et non informés, grâce à Riley. Je commençais à saisir la façon dont ces vampires âgés nous considéraient. Jasper nous avait traités de « nouveau-nés ». Comme si nous étions des bébés.

— Tous ? a sursauté Jane. Qui les a créés, alors ?

Comme si elle ne le savait pas déjà ! Cette Jane mentait encore plus que Riley. Et elle était bien plus douée que lui.

— Elle s'appelait Victoria, a lancé le rouquin.

Comment était-il au courant alors que *je* ne l'étais pas ? Soudain, ça m'est revenu. Riley avait mentionné qu'un membre de ce groupe avait le don de lire dans les pensées d'autrui. Était-ce ainsi qu'ils se tenaient informés de tout ou Riley avait-il encore raconté des salades ?

— S'appelait ? a insisté Jane.

Le roux a eu un geste de la tête en direction de l'est. Levant les yeux, j'ai aperçu un second nuage de fumée lilas qui tourbillonnait sur le flanc de la montagne.

« S'appelait. » Un plaisir m'a envahie, identique à celui que j'avais éprouvé en imaginant le costaud réduire Raoul en charpie, mais beaucoup, beaucoup plus violent.

— Cette Victoria, a lentement demandé Jane, elle est comprise dans ces dix-huit ?

— Non. Et elle avait un acolyte. Pas aussi jeune que celle-ci, mais guère plus âgé que d'un an.

Riley ! Mon plaisir intense a augmenté. Si – bon, d'accord, *quand* – je mourrai, aujourd'hui, ce détail aurait été réglé. Diego avait été vengé. J'ai presque failli sourire.

— Vingt, donc, a soufflé Jane. (Soit c'était plus que ce à quoi elle s'était attendue, soit c'était une actrice hors pair). Qui s'est occupé du créateur ?

— Moi, a répondu le vampire auburn d'une voix dénuée d'émotion.

Qui qu'il soit, qu'il possède ou pas une humaine domestique, ce type était un ami. Même s'il devait être celui qui me tuerait à la fin, je lui serais redevable. Jane s'est tournée vers moi pour me toiser, les yeux plissés.

— Toi ! Ton nom ?

Pour elle, j'étais déjà morte. Alors, à quoi bon donner ce qu'elle voulait à cette menteuse ? Je me suis bornée à lui jeter un regard méprisant. Elle a souri, d'un sourire éclatant, heureux, celui d'une enfant innocente et, soudain, je me suis sentie brûler. C'était comme si j'avais replongé dans la nuit la pire de mon existence. Le feu envahissait chacune de mes veines, couvrait la moindre surface de ma peau, rongeait la moelle de tous mes os. J'avais l'impression d'avoir été enfouie sous le bûcher funéraire de mon clan, environnée par les flammes. Il n'y avait pas une cellule de mon corps qui ne crépitât de la pire douleur envisageable. C'est à peine si je me suis entendue hurler par-dessus la souffrance qui résonnait dans mes tympans.

— Ton nom, a répété Jane.

Quand elle s'est exprimée, l'incendie s'est éteint. Volatilisé, comme si je l'avais imaginé.

— Bree, me suis-je empressée de haleter, encore essoufflée par la douleur pourtant disparue.

Jane a de nouveau souri, et le feu est reparti de plus belle. Quelle dose de souffrance serait nécessaire pour que je meure ? Les cris paraissaient ne plus provenir de moi. Pourquoi personne ne me décapitait-il pas ? Carlisle était assez bon pour ça, non ? Ou celui d'entre eux qui déchiffrait les esprits ? Celui-là ne comprenait-il donc pas ? N'était-il pas en mesure d'*arrêter ça* ?

— Pourquoi t'acharner ? a grondé le rouquin. Elle te dira tout ce que tu veux savoir, maintenant.

Derechef, la douleur s'est évaporée d'un seul coup, comme si Jane avait tourné un commutateur. Je me suis retrouvée à plat ventre sur le sol, pantelant comme si je manquais d'oxygène.

—J'en ai conscience, a répondu Jane, hilare. Bree ?

Lorsqu'elle m'a hélée, j'ai frissonné. Heureusement, la souffrance ne s'est pas réveillée.

— Cette histoire est-elle vraie ? Étiez-vous vingt ?

Les mots se sont échappés tout seuls de ma bouche.

— Dix-neuf ou vingt, peut-être plus, aucune idée !

Sara et un type dont je ne connaissais pas le nom se sont battus en chemin...

J'ai guetté le retour de la douleur pour me punir d'avoir donné une réponse aussi minable, mais Jane s'est bornée à reprendre la parole.

— Cette Victoria... t'a-t-elle créée ?

— Peut-être, ai-je admis craintivement. Riley n'a jamais prononcé son nom. Cette nuit-là, je ne l'ai pas vue... il faisait sombre, et j'avais mal ! (J'ai frémi.) Riley ne voulait pas que nous pensions à elle. D'après lui nos esprits n'étaient pas assez sûrs.

Jane a jeté un coup d'œil au rouquin avant de me contempler de nouveau.

— Parle-moi de Riley, m'a-t-elle ordonné. Pourquoi vous a-t-il amenés ici ?

Je me suis lancée dans le récit des mensonges de notre chef aussi vite que possible.

— Nous devions détruire les étranges vampires aux yeux jaunes. D'après lui, ce serait facile. Comme la ville leur appartenait, ils viendraient à notre rencontre. Quand nous en aurions fini avec eux, tout ce sang frais serait à nous. Il nous a donné leur odeur. Il a précisé que nous serions certains d'avoir trouvé le bon clan, si celle-là (j'ai désigné la fille) était avec eux. Le premier d'entre nous qui mettrait la main dessus pouvait en faire ce qu'il voulait.

— Apparemment, Riley se trompait sur le côté facile des choses, s'est moquée Jane.

Elle paraissait ravie par mon histoire. Dans un éclair de lucidité, j'ai compris quelle était soulagée que Riley n'ait pas mentionné devant nous sa petite visite à notre créateur. Victoria. Tel était le récit que Jane souhaitait faire gober aux Yeux Jaunes, celui qui n'impliquait pas les Volturi. Eh bien, j'étais moi aussi capable de jouer. Avec un peu de chance, le vampire qui lisait dans les esprits était déjà au courant de la vérité. Si je ne pouvais pas physiquement me venger de ce monstre, j'étais en mesure de tout révéler aux Yeux Jaunes à travers mes pensées. Du moins, je l'espérais.

J'ai acquiescé à la plaisanterie de Jane avant de me rasseoir afin d'attirer l'attention de celui qui déchiffrait les cerveaux, qui qu'il soit parmi eux. Puis j'ai continué à donner la version que n'importe quel membre de mon clan aurait donnée à ma place. Je me suis glissée dans la peau de Kevin. Bête comme mes pieds et totalement ignorante.

— Je ne sais pas ce qui s'est passé, ai-je dit.

Ce qui était vrai. Le massacre qui s'était produit sur le champ de bataille restait un mystère pour moi. Je n'avais aperçu aucun des sbires de Kristie. Étaient-ils tombés aux mains des vampires hurleurs ? Un secret que je garderais pour les Yeux Jaunes.

— Nous nous sommes séparés, mais les autres ne nous ont jamais rejoints. Et Riley nous a laissés tomber et n'est pas venu à notre aide, contrairement à ce qu'il avait promis. Après, tout est devenu confus… nous avons été taillés en pièces. (J'ai tressailli en me souvenant du torse par-dessus lequel j'avais sauté.) J'ai eu peur, j'ai voulu m'enfuir, et celui-là (j'ai montré Carlisle du menton) m'a dit qu'ils ne m'attaqueraient pas si je me rendais.

Cet aveu n'était en rien une trahison de Carlisle, qui avait déjà reconnu les faits devant Jane.

— Malheureusement, jeune fille, a commenté celle-ci, l'air de bien s'amuser, il n'était pas en position de te faire cette offre. Enfreindre les règles a des conséquences.

Sans cesser de mimer Kevin, je l'ai dévisagée comme si j'étais trop idiote pour comprendre.

— Vous êtes sûrs d'avoir eu les autres ? a lancé Jane à Carlisle. Le deuxième groupe ?

— Nous aussi nous sommes séparés, a-t-il répondu en opinant.

Ainsi, c'étaient les hurleurs qui s'étaient occupés de Kristie. Qui qu'ils soient, j'ai espéré qu'ils étaient terrifiants, vraiment terrifiants. Kristie le méritait amplement.

— J'avoue que je suis impressionnée, a reconnu Jane, apparemment sincère.

C'était sûrement vrai. Elle avait voulu que l'armée de Victoria l'emporte, or elle avait échoué.

— Oui, ont acquiescé ses trois acolytes.

— Je n'avais encore jamais vu un clan réchapper

d'une agression de cette ampleur, a-t-elle enchaîné. Sais-tu quelles en étaient les raisons ? Pourquoi la fille en était-elle la clé ?

Ses yeux ont brièvement effleuré l'humaine.

— Victoria en voulait à Bella, a expliqué le vampire auburn.

C'était donc ça. Riley voulait juste que la fille meure et se fichait du nombre d'entre nous qui y laisseraient leur peau au passage. Jane s'est esclaffée, joyeuse.

— Cette personne, a-t-elle dit en souriant à l'humaine comme elle m'avait souri à moi, semble décidément provoquer des réactions bizarrement puissantes chez les membres de notre espèce.

La fille n'a pas réagi. Jane ne souhaitait peut-être pas la blesser. Ou alors, son don atroce ne fonctionnait pas sur les humains, que sur les vampires.

— Aurais-tu l'obligeance de cesser ? a demandé le rouquin d'une voix furieuse mais contrôlée.

— Je vérifiais, rien de plus, a de nouveau rigolé Jane. Je n'ai fait aucun mal, visiblement.

Je me suis efforcée de rester dans la peau de Kevin et de dissimuler mon intérêt. Jane était impuissante à brûler cette fille, ce qui n'était pas normal à son avis. Elle avait beau rire, j'ai deviné qu'elle était folle de rage. Était-ce la raison pour laquelle l'humaine était tolérée par les Yeux Jaunes ? Mais, si elle avait un don spécial, pourquoi ne l'avaient-ils pas encore transformée ?

— Bon, nous n'avons plus guère de travail, a poursuivi Jane, sa voix retrouvant son apathie. Nous n'avons pas l'habitude d'être inutiles. Dommage que nous ayons loupé la bagarre. D'après ce que j'ai compris, il aurait sûrement été intéressant d'y assister.

— En effet, a riposté le roux. Et vous l'avez manqué de peu. Une demi-heure plus tôt, et vous auriez pu accomplir vos desseins.

J'ai étouffé un sourire. C'était donc lui, celui qui lisait dans les esprits, et il avait entendu tout ce que je voulais qu'il sache. Jane pouvait toujours le baratiner, il n'était pas dupe. Elle l'a contemplé sans flancher.

— Oui, a-t-elle acquiescé. Parfois, les événements s'arrangent d'une bien triste façon.

L'autre a hoché la tête, et je me suis demandé ce qu'il percevait de ses pensées. Elle s'est ensuite tournée vers moi, le visage dénué d'expression, ce qui ne m'a pas empêchée de deviner que mon temps s'était écoulé. Elle avait obtenu ce qu'elle voulait de moi. Elle ignorait que j'avais également renseigné au mieux le rouquin. Et que j'avais aussi protégé les secrets de son clan. Je lui devais bien ça, puisqu'il avait puni Riley et Victoria à ma place. Je lui ai jeté un regard en coin et j'ai pensé : « Merci. »

— Félix ! a appelé Jane sur un ton décontracté.

— Un instant ! a protesté celui qui lisait dans les esprits.

Il s'est rapidement adressé à Carlisle :

— Nous pourrions expliquer les règles à cette jeune fille. Elle paraît prête à apprendre. Elle ignorait ce dans quoi on l'entraînait.

— Nous sommes tout disposés à prendre Bree en charge, a aussitôt renchéri Carlisle en contemplant Jane.

Cette dernière a semblé hésiter à croire qu'ils plaisantaient et que, si tel était le cas, ils étaient plus drôles que ce à quoi elle s'attendait de leur part. Quant à moi, j'ai été touchée au plus profond de moi. Ces vampires ne me connaissaient pas, pourtant ils s'étaient mis dans une situation périlleuse pour moi. J'avais beau avoir compris que ça ne fonctionnerait pas, c'était quand même quelque chose.

— Nous ne tolérons aucune exception, a décrété Jane, et nous ne donnons pas de deuxième chance non plus. Cela nuirait à notre réputation.

C'était comme si elle évoquait le sort de quelqu'un d'autre. Je me fichais qu'elle soit en train de parler de ma mise à mort. Je savais que les Yeux Jaunes ne réussiraient pas à l'en empêcher. Elle représentait la police des vampires. Certes, ces flics-là étaient de vrais sales types, mais ce clan si gentil était maintenant au courant de leur duplicité.

— À propos, a-t-elle enchaîné en fixant une nouvelle fois la fille avec un grand sourire, Caïus sera ravi d'apprendre que tu es toujours humaine, Bella. Cela l'amènera peut-être à te rendre une petite visite.

Toujours humaine. Ils comptaient donc la transformer. Je me suis demandé ce qu'ils attendaient.

— La date est déjà fixée, a annoncé la brunette aux cheveux courts et à la voix claire. Si ça se trouve, *nous* vous rendrons une petite visite dans quelques mois.

Le sourire de Jane s'est évaporé, comme gommé. Elle a haussé les épaules sans daigner gratifier d'un regard la petite qui s'était exprimée, et j'ai eu le sentiment qu'elle la haïssait dix fois plus qu'elle ne détestait l'humaine, ce qui n'était pas peu dire. Elle s'est tournée vers Carlisle, affichant la même mine dénuée d'expression qu'auparavant.

— Contente de t'avoir revu, Carlisle, a-t-elle lâché. Moi qui pensais qu'Aro exagérait. À la prochaine, donc…

L'heure était venue. Je n'éprouvais toujours aucune crainte. Mon seul regret était de ne pas être en mesure d'en raconter plus à Fred. Il allait s'aventurer presque à l'aveugle dans ce monde plein de dangers politiques, de sales flics et de clans secrets. Mais il était malin, prudent et doté d'un don. Que pourraient-ils lui infliger s'ils n'étaient même pas capables de le voir ? Un jour peut-être, les Yeux Jaunes le rencontreraient. « Soyez sympa avec lui, s'il vous plaît », ai-je songé à l'adresse de celui qui déchiffrait les pensées.

— Règle-moi ça, Félix, a ordonné Jane avec un signe du menton en ma direction. Je veux rentrer.

— Ne regarde pas ! a chuchoté le vampire auburn.

J'ai fermé les yeux.

ce roman vous a plu ?

découvrez la collection

et donnez votre avis sur le site

Composition MCP – *Groupe JOUVE* – 45770 Saran
N° 034162P

Impression réalisée par TRANSCONTINENTAL GAGNÉ
en mai 2010

« Pour l'éditeur, le principe est d'utiliser des papiers composés de fibres naturelles, renouvelables, recyclables et fabriquées à partir de bois issus de forêts qui adoptent un système d'aménagement durable. En outre, l'éditeur attend de ses fournisseurs de papier qu'ils s'inscrivent dans une démarche de certification environnementale reconnue. »

Imprimé au Canada
20.19.2122.8/01 – ISBN 978-2-01-202122-8
*Loi n° 49-956 du 16 juillet 1949 sur les publications destinées
à la jeunesse.*
Dépôt légal : juin 2010